科《か》学《がく》探《たん》偵《てい》 謎《なぞ》野《の》真《しん》実《じつ》 シリーズ

科学探偵 VS.

超・自然現象

後編

もくじ

前編《ぜんぺん》のあらすじ

日本中《にほんじゅう》の「超《ちょう》・自然現《しぜんげん》象《しょう》」を取材《しゅざい》する謎野《なぞの》真《しん》実《じつ》と美希《みき》、健太《けんた》の前《まえ》に、謎《なぞ》の組織《そしき》「ダークアイ」が現《あらわ》れる。彼《かれ》らの標的《ひょうてき》は「エデン・プロジェクト」の中心人物《ちゅうしんじんぶつ》、清《きよ》井心也《いしんや》——。

この本《ほん》の楽《たの》しみ方《かた》

この本《ほん》のお話《はなし》は、事件《じけん》編《へん》と解決編《かいけつへん》に分《わ》かれています。登場人物《とうじょうじんぶつ》と一緒《いっしょ》にナゾ解《と》きをして、事件《じけん》の真相《しんそう》を見《み》つけてください。ヒントはすべて、文章《ぶんしょう》と絵《え》の中《なか》にあります。

登《とう》場《じょう》人《じん》物《ぶつ》

謎《なぞ》野《の》真《しん》実《じつ》

エリート探偵育成学校《たんていいくせいがっこう》・
ホームズ学園出身《がくえんしゅっしん》で、
天才的《てんさいてき》な頭脳《ずのう》と
幅広《はばひろ》い科学知識《かがくちしき》を持《も》つ。
「科学《かがく》で解《と》けないナゾはない」が信条《しんじょう》。
新聞記者《しんぶんきしゃ》・江古田孝太郎《えこたこうたろう》の頼《たの》みで
日本各地《にほんかくち》の超常現象《ちょうじょうげんしょう》を取材《しゅざい》し、
清井心也《きよいしんや》やダークアイと接点《せってん》を持《も》つことに。

宮《みや》下《した》健《けん》太《た》

成績《せいせき》もスポーツも中《ちゅう》ぐらいの
〝ミスター平均点《へいきんてん》〟。
超《ちょう》ビビリだが、不思議《ふしぎ》なことが大好《だいす》き。
妖怪《ようかい》と昆虫《こんちゅう》に目《め》がない。

青《あお》井《い》美《み》希《き》

花森小学校《はなもりしょうがっこう》の新聞部部長《しんぶんぶぶちょう》で、
ジャーナリスト志望《しぼう》。
「解決《かいけつ》！　超常現象《ちょうじょうげんしょう》ハンター」の
記事《きじ》を書《か》いている。

ダークアイ

「エデン・プロジェクト」建設記念《けんせつきねん》セレモニーを乗《の》っ取《と》り、清井《きよい》の信用《しんよう》を落《お》とす動画《どうが》を配信《はいしん》。さらに不気味《ぶきみ》な予言詩《よげんし》をネットに発表《はっぴょう》した謎《なぞ》の集団《しゅうだん》。動物《どうぶつ》の頭《ず》がい骨《こつ》のようなマスクをかぶっている。

清井心也《きよいしんや》

世界的《せかいてき》な大企業《だいきぎょう》「ハピネス・ピープルズ」社長《しゃちょう》。花森町《はなもりちょう》に人《ひと》と自然《しぜん》と生《い》き物《もの》の調和《ちょうわ》が取《と》れたモデルタウン「エデン」をつくるための「エデン・プロジェクト」を進《すす》めているが、「ダークアイ」の不気味《ぶきみ》な嫌《いや》がらせにあう。

ドクター・モリー

最近来日《さいきんらいにち》した女性獣医師《じょせいじゅういし》。北海道《ほっかいどう》、和歌山県《わかやまけん》に続《つづ》き、花森町《はなもりちょう》でも真実《しんじつ》たちと出会《であ》うことに。

江古田孝太郎《えこたこうたろう》

美希《みき》の父親《ちちおや》の先輩《せんぱい》である、自然《しぜん》を愛《あい》するベテラン新聞記者《しんぶんきしゃ》。真実《しんじつ》、美希《みき》、健太《けんた》に「解決《かいけつ》！　超常現象《ちょうじょうげんしょう》ハンター」の取材執筆《しゅざいしっぴつ》を依頼《いらい》。過去《かこ》に最愛《さいあい》の娘《むすめ》をなくした。

花森町《はなもりちょう》
超《ちょう》・自然現象《しぜんげんしょう》マップ
7章《しょう》
ソバ畑《ばたけ》
7·11·12章《しょう》
花森《はなもり》グリーンワールド（植物園《しょくぶつえん》）
エデン建設予定地《けんせつよていち》
9章《しょう》
大型《おおがた》ペットショップ
天狗山《てんぐやま》
花森山《はなもりやま》
地魚《じざかな》のおいしい定食屋《ていしょくや》
無人島《むじんとう》↘

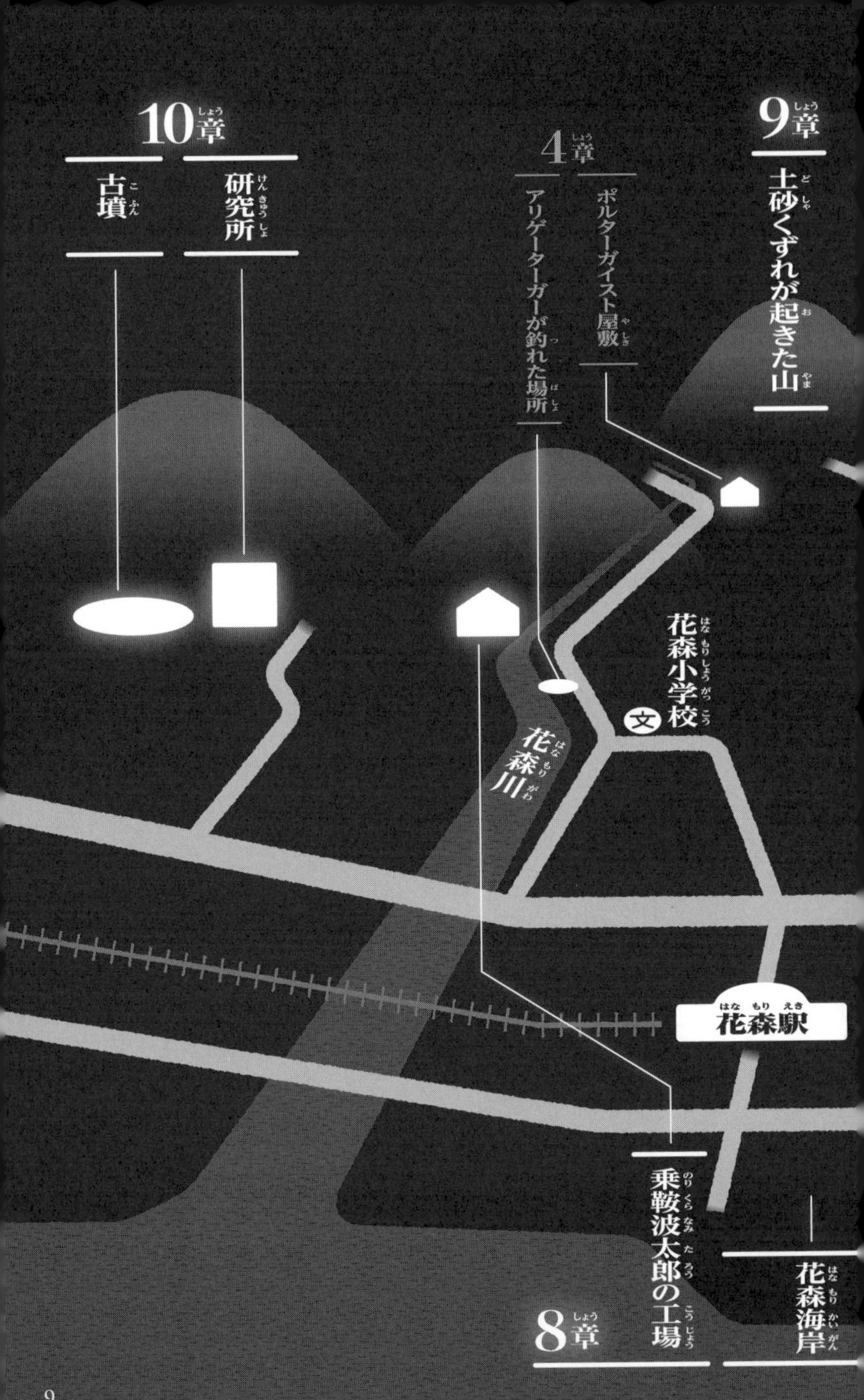
10章《しょう》
古墳《こふん》
研究所《けんきゅうじょ》
4章《しょう》
アリゲーターガーが釣《つ》れた場所《ばしょ》
ポルターガイスト屋敷《やしき》
9章《しょう》
土砂《どしゃ》くずれが起《お》きた山《やま》
花森小学校《はなもりしょうがっこう》
文
花森川《はなもりがわ》
花森駅《はなもりえき》
乗鞍波太郎《のりくらなみたろう》の工場《こうじょう》
8章《しょう》
花森海岸《はなもりかいがん》

夢《ゆめ》の植物園《しょくぶつえん》に隠《かく》された

超《ちょう》・自《し》然《ぜん》現《げん》象《しょう》7

謎

花森町《はなもりちょう》・花森山《はなもりやま》

8月《がつ》のある日《ひ》。

謎野真実《なぞのしんじつ》、宮下健太《みやしたけんた》、青井美希《あおいみき》の3人《にん》は、花森町《はなもりちょう》の近《ちか》くにある新聞社《しんぶんしゃ》の支社《ししゃ》を訪《おとず》れた。

「やあやあ！　待《ま》ってたぞ、敏腕記者諸君《びんわんきしゃしょくん》！」

そう言《い》って、笑顔《えがお》で現《あらわ》れたのは、ハンチング帽《ぼう》がトレードマークのベテラン記者《きしゃ》、江古田孝太郎《えこたこうたろう》だった。

「キミたちの連載記事《れんさいきじ》の評判《ひょうばん》は上々《じょうじょう》だよ。私《わたし》も実《じつ》に鼻《はな》が高《たか》い！」

江古田《えこた》の依頼《いらい》を受《う》け、美希《みき》たちは「解決《かいけつ》！　超常現象《ちょうじょうげんしょう》ハンター」という記事《きじ》を新聞《しんぶん》で連載《れんさい》していた。日本各地《にほんかくち》の不思議《ふしぎ》な現象《げんしょう》のナゾを科学《かがく》で解《と》き明《あ》かす、という内容《ないよう》だ。

「そうですか、大人気《だいにんき》ですか。いや〜、まいったな〜！」

得意《とくい》げに胸《むね》を張《は》る健太《けんた》を、美希《みき》がつつく。

「健太《けんた》くんがナゾを解《と》いたわけじゃないでしょ！」

「あいたっ！　そんなことないよ、ぼくだってちゃんと役《やく》に立《た》ってるよ！

ハンチング帽《ぼう》
狩猟用《しゅりょうよう》の帽子《ぼうし》。短《みじか》いひさしがつき、ずれにくいため、ゴルファーなどがよく用《もち》いる。鳥打《とりう》ち帽《ぼう》ともいう。

ねえ、真実《しんじつ》くん？」

健太《けんた》がすがるように言《い》うと、真実《しんじつ》は人差《ひとさ》し指《ゆび》で眼鏡《めがね》をクイッと持《も》ち上《あ》げた。

「健太《けんた》くんの非科学的《ひかがくてき》なひらめきには、重要《じゅうよう》なヒントが隠《かく》されていることがあるからね」

「真実《しんじつ》くん、それってほめてる⁉」

3人《にん》のやりとりを見《み》ていた江古田《えこた》が、大《おお》きな声《こえ》で笑《わら》う。

「ワッハッハ！　キミたちは実《じつ》にいいチームだよ。3本《ぼん》の矢《や》は折《お》れないって言《い》うだろう？　3人《にん》だからこそ、ひとりじゃ気《き》がつかないところにも、気《き》づけるんだ」

その言葉《ことば》に、健太《けんた》は「えへん！」と、胸《むね》を張《は》り直《なお》した。

「そんなキミたちの、次《つぎ》の取材先《しゅざいさき》が決《き》まったぞ。来週《らいしゅう》オープンする、【花《はな》森《もり》グリーンワールド】だ！」

その言葉《ことば》に、健太《けんた》が目《め》を輝《かがや》かせる。

3本《ぼん》の矢《や》は折《お》れない
戦国時代《せんごくじだい》の武将《ぶしょう》、毛利《もうり》元就《もとなり》が3人《にん》の息子《むすこ》に1本《ぽん》ずつ矢《や》を折《お》らせると簡単《かんたん》に折《お》れた。そのあと矢《や》を3本《ぼん》まとめたところ、誰《だれ》も折《お》れなかった。元就《もとなり》はこうして、3人《にん》が協力《きょうりょく》することの大切《たいせつ》さを説《と》いたとされる。

「うわ～！　それって、あの『ハピネス・ピープルズ』の清井社長《きよいしゃちょう》がつくった植物園《しょくぶつえん》ですよね!?　ぼく、行《い》ってみたかったんだ！」


「ハピネス・ピープルズ」は、環境にやさしいエコな事業《じぎょう》を展開《てんかい》する、世界的《せかいてき》な大企業《だいきぎょう》だ。

その社長《しゃちょう》に就任《しゅうにん》した清井心也《きよいしんや》は、最先端《さいせんたん》のエコ設備《せつび》を備《そな》えたモデルタウン「エデン」を花森山《はなもりやま》につくる計画《けいかく》「エデン・プロジェクト」を発表《はっぴょう》していた。


新聞部部長《しんぶんぶぶちょう》の美希《みき》が、取材《しゅざい》メモを取《と》り出《だ》して説明《せつめい》する。

「エコな町《まち》『エデン』のシンボルとして、初《はじ》めにつくられたのが、花森《はなもり》グリーンワールドなのよね。世界中《せかいじゅう》から珍《めずら》しい植物《しょくぶつ》を集《あつ》めたって、注目《ちゅうもく》されてるわ！」

「でも、どうしてその植物園《しょくぶつえん》の取材《しゅざい》を……？」

真実《しんじつ》が聞《き》くと、江古田《えこた》は眉《まゆ》をひそめた。

「ほら。このあいだ、『ダークアイ』という連中《れんちゅう》が、不気味《ぶきみ》な予言詩《よげんし》をネットで発表《はっぴょう》しただろう？」

先週《せんしゅう》のことだ。

世界《せかい》にライブ配信《はいしん》されていた「エデン・プロジェクト」の建設記念《けんせつきねん》セレモニー。

清井社長《きよいしゃちょう》が現《あらわ》れ、会場《かいじょう》が大《おお》きな拍手《はくしゅ》に包《つつ》まれたそのとき、清井《きよい》は突然頭上《とつぜんずじょう》から赤《あか》い液体《えきたい》をかけられ、巨大《きょだい》モニターに、「ダークアイ」と名乗《なの》る不気味《ぶきみ》な一団《いちだん》が姿《すがた》を現《あらわ》したのだ。

「我々《われわれ》が、民衆《みんしゅう》に真相《しんそう》を与《あた》えよう」

彼《かれ》らはそう告《つ》げると、後日《ごじつ》ネットに予言詩《よげんし》を発表《はっぴょう》した。


8の月《つき》。

世界《せかい》の緑《みどり》がつどうとき、汝《なんじ》の足元《あしもと》を見《み》よ。

暗黒《あんこく》の世界《せかい》の扉《とびら》が開《ひら》く

ダークアイ

「世界《せかい》の緑《みどり》がつどう……という言葉《ことば》。もしかしたら、『花森《はなもり》グリーンワールド』のオープン

8の月。
世界の緑がつどうとき、
汝の足元を見よ。
暗黒の世界の扉が開く
ダークアイ

のことを指《さ》してるんじゃないかと思《おも》ってね」

江古田《えこた》が言《い》うと、真実《しんじつ》はうなずいた。

「たしかに、予言詩《よげんし》が出《だ》されたタイミングともピッタリ合《あ》う」

「暗黒《あんこく》の世界《せかい》の扉《とびら》が開《ひら》くって、どういう意味《いみ》かしら？　なんだか怖《こわ》いわ……」

美希《みき》は不安《ふあん》そうに、両手《りょうて》で自分《じぶん》の肩《かた》をおさえた。

「だから取材《しゅざい》してほしいのさ。怪《あや》しいことがあったら、私《わたし》に知《し》らせてほしい」

江古田《えこた》が肩《かた》をたたくと、健太《けんた》はガッツポーズを決《き》めて見《み》せた。

「よおし！　ぼくたちにまかせて！　ダークアイのしっぽをつかんでやるから！」


「花森《はなもり》グリーンワールド」のオープンの日《ひ》。

真実《しんじつ》たちは町《まち》の人《ひと》たちと一緒《いっしょ》に、花森山《はなもりやま》へ向《む》かった。

山頂《さんちょう》には草地《くさち》が広《ひろ》がり、「エデン建設予定地《けんせつよていち》」の看板《かんばん》が立《た》っていた。

「わ〜！　すごく広《ひろ》い！　立派《りっぱ》なモデルタウンが完成《かんせい》しそうね！」

その奥《おく》にそびえる巨大《きょだい》なガラス張《ば》りのドーム……それが植物園《しょくぶつえん》だった。

ゲートをくぐると、ある人物《じんぶつ》が真実《しんじつ》たちに声《こえ》をかけた。

「やあ。取材《しゅざい》に来《き》てくれた記者《きしゃ》さんたちだね」

振《ふ》り向《む》くと、そこにはさわやかにほほえむ清井《きよい》社長《しゃちょう》が立《た》っていた。

「うわっ！　清井《きよい》社長《しゃちょう》!?　まさか本物《ほんもの》!?」

健太《けんた》が思《おも》わず、大《おお》きな声《こえ》をあげる。

「ハハハ。驚《おどろ》かせちゃったかな？　今日《きょう》は私《わたし》が園内《えんない》を案内《あんない》するよ」


ガラス張《ば》りのドームの中《なか》は、世界中《せかいじゅう》の珍《めずら》しい植物《しょくぶつ》であふれていた。

「うわ～！　あの大《おお》きい花《はな》、ラフレシアだ！」

歓声《かんせい》をあげる健太《けんた》に、先頭《せんとう》を歩《ある》く清井《きよい》が説明《せつめい》する。

「この花森《はなもり》グリーンワールドは、世界中《せかいじゅう》から貴重《きちょう》な植物《しょくぶつ》や絶滅《ぜつめつ》のおそれがある植物《しょくぶつ》を集《あつ》めて、絶滅《ぜつめつ》させずに育《そだ》てる方法《ほうほう》を研究《けんきゅう》しているんだ」

「そっか！　この植物園《しょくぶつえん》は、世界中《せかいじゅう》の植物《しょくぶつ》を守《まも》っているんだね！」

「そのとおりだよ。人《ひと》と自然《しぜん》が、ずっと仲《なか》よく暮《く》らしていけるようにね」

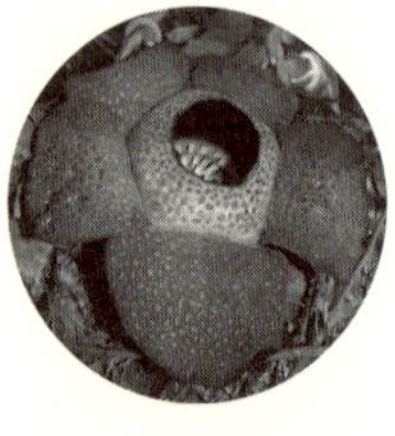

ラフレシア
花《はな》の直径《ちょっけい》約《やく》1メートル、重《おも》さは約《やく》7キロになる世界最大《せかいさいだい》の花《はな》。スマトラ島《とう》やジャワ島《とう》（ともにインドネシア）などのジャングルに生《は》え、葉《は》も茎《くき》もなく、ブドウ科《か》の植物《しょくぶつ》に寄生《きせい》する。

花森グリーンワー

そう言《い》って清井《きよい》は、やさしく笑《わら》った。

やがて真実《しんじつ》たちは、大《おお》きな広場《ひろば》へと出《で》た。

巨大《きょだい》なスクリーンに、豊《ゆた》かな緑《みどり》と水路《すいろ》に囲《かこ》まれた町《まち》の映像《えいぞう》が流《なが》れている。

「これが、私《わたし》がこの山《やま》につくるモデルタウン……『エデン』だよ」

カラフルな鳥《とり》やチョウが飛《と》び交《か》う町《まち》の姿《すがた》を見《み》つめて、美希《みき》がため息《いき》をつく。

「うわ～、きれい……！　エデンって名前《なまえ》のとおり、本当《ほんとう》に楽園《らくえん》みたい！」

「この町《まち》は究極《きゅうきょく》のエコタウンなんだ。わが社《しゃ》が開発《かいはつ》した新《あたら》しい技術《ぎじゅつ》で、人々《ひとびと》が出《だ》したごみや、企業《きぎょう》から出《で》る産業廃棄物《さんぎょうはいきぶつ》を、バイオガスや肥料《ひりょう》などに作《つく》り替《か》えるんだよ」

「つまり、ごみの出《で》ない夢《ゆめ》の町《まち》ってことだね！　すごいや！」

産業廃棄物《さんぎょうはいきぶつ》
工場《こうじょう》などの産業活動《さんぎょうかつどう》によって生《う》まれる燃《も》え殻《がら》、泥《どろ》、油《あぶら》、プラスチックなどのごみのこと。質的《しつてき》、量的《りょうてき》に環境汚染《かんきょうおせん》の原因《げんいん》となる可能性《かのうせい》があるものをいう。

健太《けんた》が感動《かんどう》の声《こえ》をあげると、清井《きよい》はスクリーンをまっすぐ見《み》つめて言《い》った。

「このエデン・プロジェクトを花森町全体《はなもりちょうぜんたい》……いや、世界中《せかいじゅう》に広《ひろ》める。それが私《わたし》の夢《ゆめ》なんだ」

そのとき、スタッフが清井《きよい》に駆《か》け寄《よ》り、何《なに》かを告《つ》げた。

清井《きよい》の顔色《かおいろ》がサッとくもる。

「この先《さき》のゾーンで問題《もんだい》があったらしい。行《い》ってみよう」

走《はし》って向《む》かった先《さき》は、「花森町《はなもりちょう》の絶滅危惧植物《ぜつめつきぐしょくぶつ》」というゾーンだった。

健太《けんた》がひと目《め》で異変《いへん》に気《き》づく。

「あっ！　あそこの花《はな》、なんだかしおれてる……！」

シロテンマ、ヤマタバコ、ムラサキ……植物《しょくぶつ》たちはどれも元気《げんき》がない。

「もしかして、この植物園《しょくぶつえん》の水《みず》とか土《つち》が合《あ》ってないとか……？」

美希《みき》がつぶやくと、健太《けんた》はハッとした。

シロテンマ
木《き》の下《した》や林《はやし》のふちに生《は》える腐性《ふせい》ランの一種《いっしゅ》で白《しろ》い花《はな》をつける。環境省《かんきょうしょう》が絶滅危惧《ぜつめつきぐ》ⅠA類《エーるい》（野生《やせい》での絶滅《ぜつめつ》の危険性《きけんせい》が極《きわ》めて高《たか》い）に指定《してい》。

ヤマタバコ
高《たか》さ1～1・3メートルになるキク科《か》の植物《しょくぶつ》。環境省《かんきょうしょう》が絶滅危惧《ぜつめつきぐ》ⅠA類《エーるい》に指定《してい》。

「ダークアイの予言詩《よげんし》……【世界《せかい》の緑《みどり》がつどうとき、汝《なんじ》の足元《あしもと》を見《み》よ。暗《あん》黒《こく》の世界《せかい》の扉《とびら》が開《ひら》く】……。もしかして、【汝《なんじ》の足元《あしもと》】って『土《つち》』のことなんじゃない？」

美希《みき》と清井《きよい》が目《め》を見合《みあ》わせる。

「ダークアイが土《つち》に細工《さいく》して、絶滅危惧種《ぜつめつきぐしゅ》を枯《か》らせようとしてるってこと!?」

「そんなイタズラをするなんて、なんてやつらだ……。このゾーンの土《つち》は、植物《しょくぶつ》が生《は》えていた、花森町《はなもりちょう》の天狗山《てんぐやま》から運《はこ》んできたと聞《き》いているが……」

真実《しんじつ》は、枯《か》れかけた植物《しょくぶつ》を見《み》つめ、清井《きよい》に言《い》った。

「何《なに》か手《て》がかりがあるかもしれない。ぼくたちは山《やま》を調《しら》べに行《い》きます」

天狗山《てんぐやま》は、花森町《はなもりちょう》の北《きた》にある、高《たか》さ４００メートルほどの緑豊《みどりゆた》かな山《やま》だ。

ムラサキ

ムラサキ科《か》の植物《しょくぶつ》で、その根《ね》は「紫根《しこん》」と呼《よ》ばれ、紫色《むらさきいろ》の染料《せんりょう》や漢《かん》方薬《ぽうやく》の原料《げんりょう》にも用《もち》いられる。環境省《かんきょうしょう》から絶滅《ぜつめつ》危惧《きぐ》ⅠB種《ビーしゅ》（近《ちか》い将来《しょうらい》に野生《やせい》での絶滅《ぜつめつ》の危険性《きけんせい》がある）に指定《してい》されている。

花森町の 絶滅危惧植物

「植物園《しょくぶつえん》の土《つち》は、この山《やま》の山頂《さんちょう》から運《はこ》んだそうよ」

細《ほそ》い山道《やまみち》を登《のぼ》りながら美希《みき》が言《い》う。

「その土《つち》に、ダークアイが毒《どく》でもまぜたのかな？」

健太《けんた》が答《こた》えたそのとき、真実《しんじつ》が「シッ！」と人差《ひとさ》し指《ゆび》を口元《くちもと》に当《あ》てた。

「誰《だれ》かにつけられてる」

「誰《だれ》かって……。もしかして、ダークアイ!?」

「林《はやし》の中《なか》を走《はし》って、頂上《ちょうじょう》をめざそう」

真実《しんじつ》の合図《あいず》で、3人《にん》は林《はやし》の中《なか》に飛《と》び込《こ》んだ。

ザザザザ！

木々《きぎ》の間《あいだ》を全力《ぜんりょく》で駆《か》けぬける真実《しんじつ》たち。

その後《うし》ろをピタリと、怪《あや》しい人影《ひとかげ》がついてくる。

「ついてくるわ！」

美希《みき》が叫《さけ》んだ瞬間《しゅんかん》、パッと視界《しかい》が開《ひら》けた。

一面《いちめん》に白《しろ》い花《はな》が咲《さ》き乱《みだ》れている。

「うわ〜っ！　きれい！」

あまりの美《うつく》しさに、思《おも》わず足《あし》を止《と》める健太《けんた》。

「そこまでだ」

背後《はいご》からの声《こえ》に振《ふ》り向《む》くと、そこには、作業着姿《さぎょうぎすがた》の若《わか》い男《おとこ》が立《た》っていた。

「山道《やまみち》ならオレのほうが早《はや》いぜ。あんたらこの山《やま》に何《なに》しに来《き》た？」

「びっくりするじゃない。あなたこそ、なんで私《わたし》たちを追《お》いかけたりしたの？」

負《ま》けずに美希《みき》が言《い》い返《かえ》すと、男《おとこ》はフンと鼻《はな》を鳴《な》らした。

「この山《やま》の貴重《きちょう》な草花《くさばな》を勝手《かって》にとっていくやつがいるからな。パトロールしてるのさ」

耕一《こういち》と名乗《なの》る男《おとこ》に、真実《しんじつ》は、これまでの事情《じじょう》を話《はな》した。

「なるほど……植物園《しょくぶつえん》の土《つち》か。たしかにこの山《やま》から持《も》っていったよ。この山《やま》は、先祖代々《せんぞだいだい》、オレんちのもんでさ、白《しろ》い花《はな》が満開《まんかい》の、このソバ畑《ばたけ》もう

ソバ
タデ科《か》の植物《しょくぶつ》で、白色《しろいろ》などの花《はな》をつける。栄《えい》養《よう》の少《すく》ないやせた土地《とち》でもよく育《そだ》つ。種実《しゅじつ》を粉《こな》にしたものをそば粉《こ》といい、めん状《じょう》にしたいわゆる「そば」やそばがきなどにして食《た》べる。

ちの畑《はたけ》だったんだ」

さびしげな目《め》でソバ畑《ばたけ》を見《み》つめる耕一《こういち》に、健太《けんた》が言《い》う。

「うちの畑《はたけ》だったって？　今《いま》は違《ちが》うの？」

「ああ。山《やま》の管理《かんり》も大変《たいへん》だからな。この山《やま》の自然《しぜん》を守《まも》りたいって清井社長《きよいしゃちょう》に言《い》われてな。おやじが山《やま》をゆずったのさ」

「耕一《こういち》さん。最近《さいきん》、この山《やま》で怪《あや》しい人《ひと》たちを見《み》かけたことはありませんか？」

真実《しんじつ》が聞《き》くと、耕一《こういち》は腕《うで》を組《く》んで考《かんが》えた。

「うーん。最近《さいきん》はあんたらと植物園《しょくぶつえん》の工事《こうじ》の人《ひと》たち以外《いがい》、見《み》かけてないな……」

健太《けんた》は首《くび》をかしげる。

「それじゃあ、ダークアイのしわざじゃないってこと……!?」

「だとしたら、どうしてこの山《やま》の土《つち》に植《う》えた植物《しょくぶつ》は枯《か》れちゃうのかしら？」

美希《みき》がつぶやくと、耕一《こういち》は何《なに》かを思《おも》い出《だ》したように顔《かお》をあげた。

「ああ。そういや、うちのおやじはこの山《やま》のことを『ハゲ山《やま》』って呼《よ》んでたな。なぜだか、頂上《ちょうじょう》のあたりだけ、草花《くさばな》が生《は》えないいんだとさ」

「草花《くさばな》が生《は》えない……？」

真実《しんじつ》は、手《て》のひらで土《つち》をすくうと、じっと見《み》つめた。

その横《よこ》で、ふいに健太《けんた》がクンクンと鼻《はな》を鳴《な》らす。

「ねえねえ。さっきから、ちょっと臭《くさ》くない？　なんだか、トイレっていうか……ウンチっていうか……」

耕一《こういち》は笑《わら》って、風《かぜ》に揺《ゆ》れるソバ畑《ばたけ》の白《しろ》い花《はな》を指《ゆび》さした。

「それはソバの花《はな》の香《かお》りさ。かわいい見《み》た目《め》と違《ちが》って、強烈《きょうれつ》な香《かお》りがするだろ。この香《かお》りで虫《むし》を誘《さそ》って花粉《かふん》を運《はこ》んでもらうんだ。どうだ？　近《ちか》くでかいでみるか？」

「いえいえ、私《わたし》は、遠慮《えんりょ》しておきます」

「あ。ぼくも、ここからでいいかな～」

あわてて手《て》を振《ふ》る美希《みき》と健太《けんた》。

耕一《こういち》は、残念《ざんねん》そうに肩《かた》をすくめてみせた。

「ほかにもソバにはおもしろい力《ちから》があってな。根《ね》っこから、雑草《ざっそう》の成長《せいちょう》を邪魔《じゃま》する成分《せいぶん》を出《だ》すんだ。だから、ソバ畑《ばたけ》には雑草《ざっそう》がほとんど生《は》えない。ほかの植物《しょくぶつ》に負《ま》けずに育《そだ》つための、ソバの知恵《ちえ》だな」

「アレロパシーですね」

真実《しんじつ》がつぶやく。

耳《みみ》なれない言葉《ことば》に健太《けんた》が顔《かお》をしかめた。

「アレロレロ……パー？」

「アレロパシー。植物《しょくぶつ》の中《なか》には、ソバのように、根《ね》や葉《は》から化学物質《かがくぶっしつ》を出《だ》しているものがある。その化学物質《かがくぶっしつ》でほかの植物《しょくぶつ》の成長《せいちょう》を促進《そくしん》したり、邪魔《じゃま》したりする効果《こうか》のことをアレロパシーというんだ」

そこまで言《い》うと、真実《しんじつ》はハッと顔《かお》をあげて山頂《さんちょう》を見《み》つめた。

「そうか……。『ハゲ山《やま》』と呼《よ》ばれる、この山《やま》のナゾが解《と》けるかもしれない」


山頂《さんちょう》に到着《とうちゃく》した真実《しんじつ》たち。

そこには、町《まち》を一望《いちぼう》できる広場《ひろば》があった。

耕一《こういち》の話《はなし》のとおり、草花《くさばな》は少《すく》なく、土《つち》がむき出《だ》しになっている。

真実《しんじつ》はあたりを見渡《みわた》すと、ある一点《いってん》に目《め》を留《と》めた。

「やっぱり。ここの土《つち》には、強《つよ》いアレロパシーを引《ひ》き起《お》こす化学物質《かがくぶっしつ》が含《ふく》まれていたんだ。だから、ここの土《つち》に植《う》えた植物園《しょくぶつえん》の植物《しょくぶつ》は、成長《せいちょう》が邪魔《じゃま》され、しおれてしまったんだ」

「でも」と、健太《けんた》が首《くび》をかしげる。

「草《くさ》も花《はな》も生《は》えてないよ？　いったい何《なに》がアレロパシーを引《ひ》き起《お》こしてたの？」

「草花《くさばな》とはかぎらない。強《つよ》いアレロパシーの原因《げんいん》はあれだよ」

真実《しんじつ》が指《ゆび》さしたものは、いったい何《なん》だろうか？

木《き》に生《は》えているコケ
大《おお》きな切《き》り株《かぶ》
古《ふる》いタイヤの山《やま》

ほかの植物《しょくぶつ》の成長《せいちょう》を邪魔《じゃま》すると得《とく》をするのは何《なん》だろう？

解《かい》決《けつ》編《へん》

真実《しんじつ》が近《ちか》づいたのは、5、6本並《ぽんなら》んだ、大《おお》きな切《き》り株《かぶ》だった。

「耕一《こういち》さん。これが何《なん》の切《き》り株《かぶ》だか、知《し》ってますか?」

「たしか……ひいひいじいさんの代《だい》に植《う》えた、黒《くろ》クルミの木《き》だっけな。3年前《ねんまえ》、ウチのおやじが、倒《たお》れたら危《あぶ》ないって、嵐《あらし》が来《く》る前《まえ》に切《き》ったんだ」

「黒《くろ》クルミの木《き》……? それが、アレロパシーを引《ひ》き起《お》こしてたの?」

健太《けんた》は、信《しん》じられない、という顔《かお》だ。

「黒《くろ》クルミの木《き》は、根《ね》や葉《は》でジュグロンという物質《ぶっしつ》を作《つく》る。そのジュグロンが、多《おお》くの植物《しょくぶつ》の成長《せいちょう》を妨《さまた》げる働《はたら》きをするんだ。自分《じぶん》たちだけがしっかりと土《つち》から栄養《えいよう》を取《と》って育《そだ》つようにね」

美希《みき》は、黒《くろ》クルミの切《き》り株《かぶ》にそっと手《て》を当《あ》てた。

「そっか。切《き》り株《かぶ》になっても、根《ね》はまだ生《い》きていたのね」

「だからこのあたりには草木《くさき》が生《は》えずに、ハゲ山《やま》って呼《よ》ばれてたんだね。そして、ここの土《つち》を使《つか》った植物園《しょくぶつえん》の植物《しょくぶつ》もしおれてしまった」

健太《けんた》はまるで自分《じぶん》がナゾを解《と》いたかのように、エヘンと胸《むね》を張《は》った。

ジュグロン
クルミ科《か》の植物《しょくぶつ》の葉《は》や根《ね》、実《み》の殻《から》などでできる物質《ぶっしつ》で、多《おお》くの植物《しょくぶつ》に対《たい》して毒《どく》になったり、成長《せいちょう》を妨《さまた》げたりする性質《せいしつ》をもつ。

花森《はなもり》グリーンワールドに戻《もど》ってきた真実《しんじつ》たち。

応接室《おうせつしつ》で山《やま》での話《はなし》を報告《ほうこく》すると、清井《きよい》はさわやかな笑顔《えがお》を浮《う》かべた。

「調《しら》べてくれてありがとう。スタッフに話《はなし》を聞《き》いたら、天狗山《てんぐやま》で絶滅危惧種《ぜつめつきぐしゅ》が生《は》えていたのは、崖《がけ》の近《ちか》くらしくてね。土《つち》を取《と》るのが難《むずか》しくて、しかたなく頂上《ちょうじょう》の土《つち》にしたそうだ。あのゾーンの土《つち》はすぐに入《い》れ替《か》えよう」

「よかった！　これで一件落着《いっけんらくちゃく》だね」

部屋《へや》を出《で》た健太《けんた》が笑顔《えがお》で言《い》うが、真実《しんじつ》の顔《かお》は晴《は》れない。

「どうしたの？　何《なに》か気《き》になることでもあるの？」

「ダークアイの予言詩《よげんし》が気《き》になるんだ。【世界《せかい》の緑《みどり》がつどうとき、汝《なんじ》の足元《あしもと》を見《み》よ。暗黒《あんこく》の世界《せかい》の扉《とびら》が開《ひら》く】……。絶滅危惧種《ぜつめつきぐしゅ》の植物《しょくぶつ》が枯《か》れてしまうのは大変《たいへん》なことだけど、それが【暗黒《あんこく》の世界《せかい》】とまでいえるのかな？」

健太《けんた》が眉《まゆ》をひそめる。

「あの詩《し》は、ほかのことを予言《よげん》しているのかもしれないってこと？」

「ああ。【汝《なんじ》の足元《あしもと》を見《み》よ】……。これを、ぼくたちは、植物園《しょくぶつえん》の土《つち》のことだと考《かんが》えた。でも、もし、ほかのものを指《さ》しているとしたら？」

「足元《あしもと》を見《み》よ……か」

健太《けんた》が足元《あしもと》を見《み》つめると、そこには、冷《つめ》たいコンクリートの床《ゆか》があった。

「あっ！　もしかして……植物園《しょくぶつえん》の地下《ちか》とか？」

健太《けんた》の言葉《ことば》に、真実《しんじつ》はうなずいた。

「そんな気《き》がするんだ。ダークアイの予言詩《よげんし》に出《で》てくる【足元《あしもと》】とは、この植物園《しょくぶつえん》の地下《ちか》のことかもしれない」

健太《けんた》の表情《ひょうじょう》が、みるみる不安《ふあん》に包《つつ》まれていく。

「それじゃあ、この建物《たてもの》の下《した》に、【暗黒《あんこく》の世界《せかい》】があるってこと……!?」

「やっぱりね！　敏腕記者《びんわんきしゃ》の私《わたし》も同《おな》じ考《かんが》えでした〜！　だから、ジャーン！」

美希《みき》はドヤ顔《がお》で、銀色《ぎんいろ》のカードを取《と》り出《だ》した。

「清井社長《きよいしゃちょう》のＩＤ《アイディー》カード。さっき、机《つくえ》の上《うえ》に置《お》いてあったのを、こっそり借《か》りてきちゃった。これがあれば、建物《たてもの》の地下《ちか》にも行《い》けるはずよ！」

「ダメだよ美希《みき》ちゃん！　清井《きよい》社長《しゃちょう》に内緒《ないしょ》で地下《ちか》に行《い》くなんて」

「考《かんが》えてみて。植物園《しょくぶつえん》に秘密《ひみつ》があるとしたら、『はい、どうぞ』なんて案《あん》内《ない》してくれると思《おも》う？　このカードは、あとで返《かえ》しにいくから大丈夫《だいじょうぶ》よ」

健太《けんた》が心配《しんぱい》そうに真実《しんじつ》を見《み》ると、真実《しんじつ》はコクリとうなずいた。

「地下《ちか》をたしかめに行《い》こう」


ピッ！

「入室厳禁《にゅうしつげんきん》」と書《か》かれた扉《とびら》に清井《きよい》のＩＤ《アイディー》カードを当《あ》てると、扉《とびら》が開《ひら》いた。

植物園《しょくぶつえん》の地下《ちか》へと続《つづ》く階段《かいだん》を、真実《しんじつ》たちは下《お》りていく。

「ずいぶん長《なが》い階段《かいだん》ね」

「だいぶ下《お》りてきたよ。もう、地下《ちか》10階《かい》は過《す》ぎてると思《おも》うな」

やがて、階段《かいだん》の先《さき》に、金属製《きんぞくせい》の巨大《きょだい》な扉《とびら》が現《あらわ》れた。

扉《とびら》には赤《あか》い文字《もじ》で、「カナリア・ルーム」と書《か》かれている。

「カナリア・ルーム……？」

カナリア
スズメ目《もく》の鳥《とり》で、飼育《しいく》される種《しゅ》の体《からだ》は黄色《きいろ》く、きれいな声《こえ》で鳴《な》くため、昔《むかし》からペットとして人気《にんき》がある。日本《にほん》には江戸時代《えどじだい》に持《も》ち込《こ》まれた。

健太《けんた》と美希《みき》が顔《かお》を見合《みあ》わせる。

ＩＤ《アイディー》カードを当《あ》てて扉《とびら》を開《あ》けると……そこは、広大《こうだい》な空間《くうかん》になっていた。

緑《みどり》の木々《きぎ》や色《いろ》とりどりの花《はな》が植《う》えられ、チョウが舞《ま》い、鳥《とり》たちがさえずっていた。

室内《しつない》を流《なが》れる人工《じんこう》の川《かわ》には澄《す》んだ水《みず》が流《なが》れ、新鮮《しんせん》な空気《くうき》が漂《ただよ》っている。

「きれい……！　植物園《しょくぶつえん》で見《み》た、『エデン』の映像《えいぞう》にそっくり！」

「ここはいったい……!?」

あたりを見回《みまわ》し、真実《しんじつ》がつぶやいたそのとき。

ガシャーーン！

扉《とびら》が閉《し》まる、重々《おもおも》しい音《おと》が響《ひび》いた。

驚《おどろ》いて振《ふ》り向《む》くと、清井《きよい》と、その部下《ぶか》たちが立《た》っていた。

「ＩＤ《アイディー》カードがなくなっていることに気《き》がついてね。探偵《たんてい》ごっこも、ほどほどにしておいたほうがいい。ここは、一般人《いっぱんじん》は立《た》ち入《い》り禁止《きんし》の秘密《ひみつ》の部屋《へや》だよ」

いつも笑顔《えがお》の清井《きよい》だが、その顔《かお》は笑《わら》っていなかった。

「どうしよう……。真実《しんじつ》くん!?」

健太《けんた》を背中《せなか》にかくまい、真実《しんじつ》は清井《きよい》をまっすぐに見《み》つめて言《い》った。

「秘密《ひみつ》の部屋《へや》？　ここは、いったい何《なん》のための場所《ばしょ》なんです？」

「……。」

鋭《するど》い目《め》で真実《しんじつ》を見《み》つめる清井《きよい》。

次《つぎ》の瞬間《しゅんかん》、清井《きよい》の表情《ひょうじょう》がガラッと変《か》わり、笑顔《えがお》になった。

「なーんてね。驚《おどろ》かしちゃったかな？」

健太《けんた》と美希《みき》は力《ちから》が抜《ぬ》けて、へなへなとその場《ば》に座《すわ》りこんだ。

「あ〜もう！　びっくりした〜〜！」

「ハハハ。悪《わる》かったよ。でも、ここが立《た》ち入《い》り禁止《きんし》なのは本当《ほんとう》だよ。まだ準備中《じゅんびちゅう》で危《あぶ》ないからね。それから、ここが秘密《ひみつ》の部屋《へや》と言《い》ったのは冗談《じょうだん》さ。いずれ、町《まち》の人《ひと》にも見《み》てもらうつもりだよ。カナリア・ルームは、花森町《はなもりちょう》の本当《ほんとう》の美《うつく》しさを知《し》ってもらう場所《ばしょ》だからね」

「花森町《はなもりちょう》の本当《ほんとう》の美《うつく》しさを知《し》ってもらう場所《ばしょ》？」

真実《しんじつ》が聞《き》き返《かえ》す。

「そう。この部屋《へや》では、町《まち》の地下水《ちかすい》をくみ上《あ》げ、森《もり》の空気《くうき》を取《と》りこんで、草花《くさばな》や動物《どうぶつ》たちを育《そだ》てているんだ。美《うつく》しい環境《かんきょう》のもとで、自然《しぜん》がどんな姿《すがた》を取《と》り戻《もど》すかを知《し》るためにね。カナリアは美《うつく》しい声《こえ》で鳴《な》くだろう？　美《うつく》しい自然《しぜん》を取《と》り戻《もど》すための研究室《けんきゅうしつ》。だから、カナリア・ルームと名《な》づけたのさ」

健太《けんた》と美希《みき》は、清井《きよい》の話《はなし》に感動《かんどう》して頭《あたま》を下《さ》げた。

「ぼくたち、植物園《しょくぶつえん》の地下《ちか》に何《なに》か秘密《ひみつ》があるかもなんて疑《うたが》っちゃって……ごめんなさい！」

花森《はなもり》グリーンワールドの出口《でぐち》に向《む》かいながら、真実《しんじつ》がつぶやく。

「ダークアイの予言詩《よげんし》は、いったい何《なに》を意味《いみ》してたんだろう……？」

「きっと、でたらめを言《い》って、清井社長《きよいしゃちょう》の計画《けいかく》を邪魔《じゃま》しようとしたんだよ」

健太《けんた》はそう言《い》ったが、真実《しんじつ》は考《かんが》え続《つづ》けていた。

「【世界《せかい》の緑《みどり》がつどうとき、汝《なんじ》の足元《あしもと》を見《み》よ。暗黒《あんこく》の世界《せかい》の扉《とびら》が開《ひら》く】……。カナリア・ルームと名《な》づけられたあの地下《ちか》の空間《くうかん》には、何《なに》か別《べつ》の目的《もくてき》が隠《かく》されている気《き》がするんだ……」

真実《しんじつ》は、キラキラと輝《かがや》くガラス張《ば》りのドームを振《ふ》り返《かえ》った。

その最上階《さいじょうかい》では、清井《きよい》が、去《さ》っていく真実《しんじつ》たちの姿《すがた》をじっと見《み》つめていた。

7

SCIENCE TRICK DATA FILE

科学《かがく》トリック データファイル

植物《しょくぶつ》の持《も》つ不思議《ふしぎ》な力《ちから》

植物《しょくぶつ》の中《なか》には、化学物質《かがくぶっしつ》を放出《ほうしゅつ》してまわりの植物《しょくぶつ》や虫《むし》などに影響《えいきょう》を与《あた》えるものがあります。成長《せいちょう》や発芽《はつが》を抑《おさ》える場合《ばあい》もあれば、逆《ぎゃく》にうながすこともあります。この力《ちから》のことを「アレロパシー」といいます。

まわりの植物《しょくぶつ》の繁殖《はんしょく》を抑《おさ》えるア

セイタカアワダチソウ

北《きた》アメリカ原産《げんさん》の外《がい》来種《らいしゅ》。地下《ちか》に伸《の》びる茎《くき》で「ポリアセチレン」という化学物質《かがくぶっしつ》をつくりだし、ほかの植物《しょくぶつ》の成長《せいちょう》を妨《さまた》げるレロパシーを引《ひ》き起《お》こす植物《しょくぶつ》としてよく知《し》られているのが、河原《かわら》や線路沿《せんろぞ》いなどによく生《は》えている「セイタカアワダチソウ」です。外来種《がいらいしゅ》だったのですがアレロパシーによりまわりの植物《しょくぶつ》の成長《せいちょう》を抑《おさ》え、どんどん繁殖《はんしょく》していきました。ただしこれは増《ふ》えすぎるとアレロパシー物質《ぶっしつ》が濃《こ》くなりすぎて、みずからも十《じゅう》分《ぶん》に成長《せいちょう》できなくなってしまいます。

ヒマワリ

セイタカアワダチソウと同《おな》じキク科《か》のヒマワリも、雑草《ざっそう》の繁殖《はんしょく》を妨《さまた》げるアレロパシー物《ぶっ》質《しつ》を出《だ》すことが知《し》られている

植物《しょくぶつ》の力《ちから》って
すごいんだねー！
毎朝新聞
ほかにも様々《さまざま》な植物を守る取《と》り組《く》みをしている。
そのひとつが、
化
決《けつ》！
常現象ハンター
第七回《だいななかい》
知《し》っていますか？
植物園《しょくぶつえん》の大切《たいせつ》な役目《やくめ》
オープンしたばかりの「花森《はなもり》グリーンワールド」（花森町《はなもりちょう》）で、絶滅危惧《ぜつめつきぐ》種《しゅ》の植物《しょくぶつ》がしおれてしまった事件《じけん》。その原因《げんいん》は、黒《くろ》クルミの根《ね》や葉《は》から出《で》る「ジュグロン」という成分《せいぶん》だった。
植物園《しょくぶつえん》といえば、きれいな植物《しょくぶつ》やめずらしい植《しょく》物を収集《しゅうしゅう》して、多《おお》くの人《ひと》に見《み》てもらう場所《ばしょ》。
しかし、花森《はなもり》グリーンワールドのように、絶滅《ぜつめつ》危惧種《きぐしゅ》を守《まも》っていくことも、植物園《しょくぶつえん》の大切《たいせつ》な役目《やくめ》だ。
貴重《きちょう》な植物《しょくぶつ》を育《そだ》てるだけでなく、様々《さまざま》な資料《しりょう》を調《しら》べながら、正《ただ》しい育《そだ》て方《かた》や、少《すこ》しずつ数《かず》を増《ふ》やしていくための研究《けんきゅう》に取《と》り組《く》む植物園《しょくぶつえん》が全国《ぜんこく》に増《ふ》えてきている。
植物園《しょくぶつえん》は植物《しょくぶつ》を展示《てんじ》するだけでなく、植物《しょくぶつ》を守《まも》り、未来《みらい》まで残《のこ》していく、大切《たいせつ》な場所《ばしょ》でもあるのだ。
花森町の 絶滅危惧植物
一時《いちじ》、元気《げんき》を失《うしな》っていた
絶滅危惧種《ぜつめつきぐしゅ》の植物《しょくぶつ》
日本《にほん》の絶滅危惧《ぜつめつきぐ》動植物《どうしょくぶつ》
「秋《あき》の七草《ななくさ》」として知《し》られるキキョウ。生花店《せいかてん》でもよく見《み》かける花《はな》だが野《や》生《せい》では生息数《せいそくすう》が減《へ》り、環《かん》境省《きょうしょう》が絶滅危惧《ぜつめつきぐ》Ⅱ類《るい》（絶《ぜつ》滅《めつ》の危険《きけん》が増《ま》している）に指定《してい》している。（M・A）
に対して
ていく予
ワールド
長は熱《あつ》く
からの動
きたい。
さて、

花森《はなもり》グリーンワールドの絶滅危惧種《ぜつめつきぐしゅ》の植物《しょくぶつ》たち、元気《げんき》になってよかったね！

でも、日本《にほん》の植物《しょくぶつ》の中《なか》には、このままだと絶滅《ぜつめつ》しちゃうかもしれない絶滅危《ぜつめつき》惧種《ぐしゅ》が、２０００種類以上《しゅるいいじょう》もあるんですって。

ええっ！　そんなにたくさん？　いったいどうして!?

たとえば、環境破壊《かんきょうはかい》で植物《しょくぶつ》が育《そだ》つ場所《ばしょ》がなくなってしまったり。薬《くすり》になるからと、人間《にんげん》がたくさん採取《さいしゅ》してしまったり。地球温暖化《ちきゅうおんだんか》も、原因《げんいん》のひとつといわれているよ。

そういえば、花森《はなもり》グリーンワールドで展示《てんじ》されていた「ムラサキ」は、私《わたし》たちの学校《がっこう》でも、みんなで育《そだ》てているわよね。

夏《なつ》に、白《しろ》くて小《ちい》さな花《はな》が咲《さ》いたときはうれしかったなあって、忘《わす》れてた！今日《きょう》は、ぼくが「ムラサキ」に水《みず》をあげる係《かかり》だった！　さよなら〜っ！

ちょっと！　健太《けんた》くーん！　カバン忘《わす》れてるわよ〜！

絶滅危惧種《ぜつめつきぐしゅ》を守《まも》るために、みんなにもできることがあるかもしれないね。

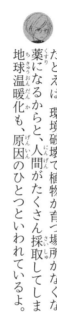

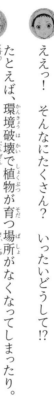

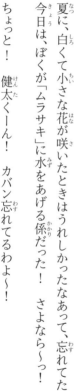

血《ち》の海《うみ》の魔物《まもの》

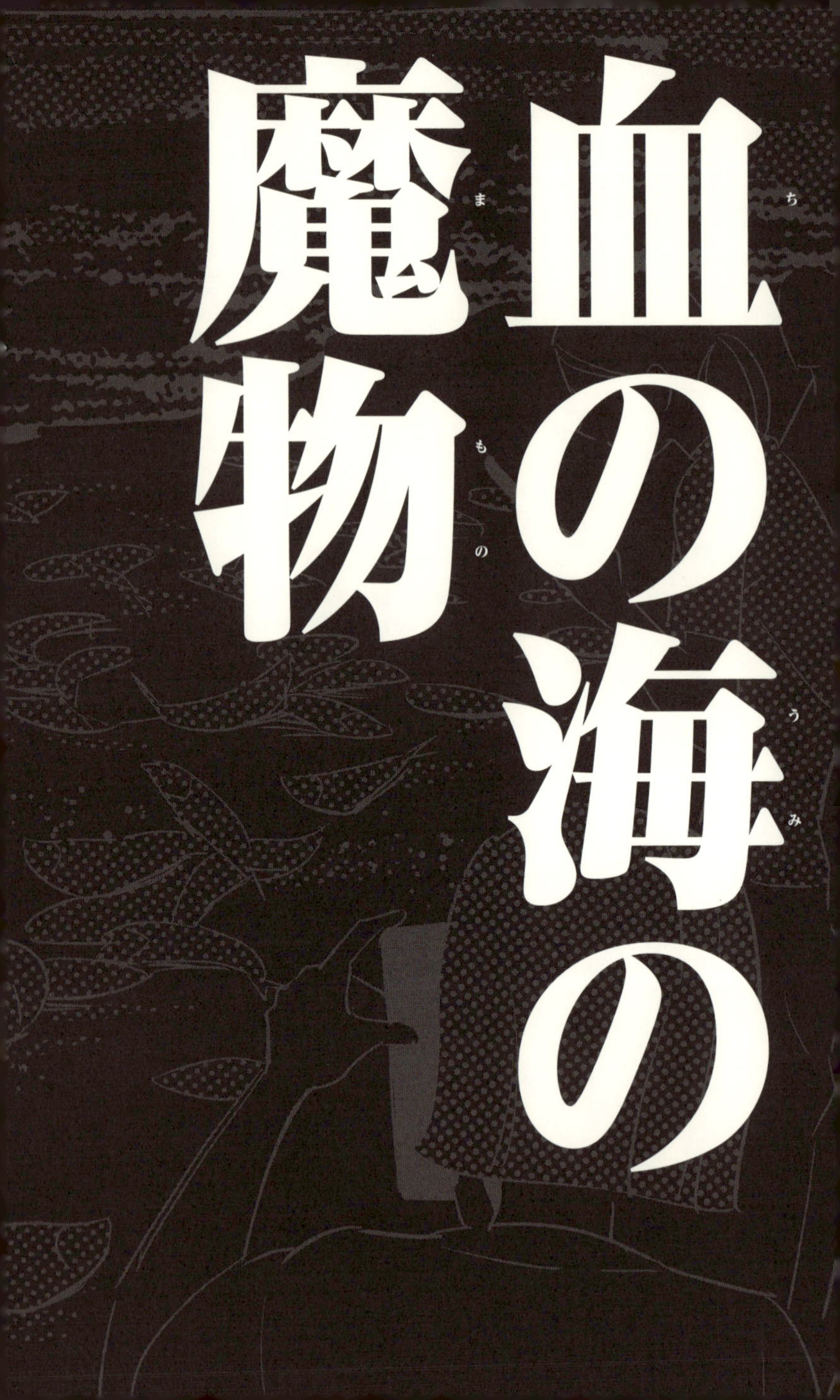

超《ちょう》・自《し》然《ぜん》現《げん》象《しょう》8

花森町《はなもりちょう》・花森海岸《はなもりかいがん》

ミーンミンミンミン。

ミーンミンミンミン。

セミの鳴《な》き声《ごえ》が響《ひび》いている。

図書館《としょかん》の窓《まど》から見《み》える木立《こだち》の上《うえ》には、まぶしいほどの夏空《なつぞら》が広《ひろ》がっていた。

雨《あめ》が何日《なんにち》も降《ふ》り続《つづ》いたあとの、久々《ひさびさ》に見《み》る青空《あおぞら》——。

「あ～、海《うみ》に行《い》きたいな～～」

窓《まど》の外《そと》を眺《なが》めていた健太《けんた》は、ふと、つぶやいた。

「ねえ、真実《しんじつ》くん、知《し》ってる？　花森海岸《はなもりかいがん》の沖《おき》には、渡《わた》し舟《ぶね》で行《い》ける無人島《むじんとう》があるんだよ」

「無人島《むじんとう》？」

かたわらで本《ほん》を読《よ》んでいた真実《しんじつ》は、顔《かお》を上《あ》げ、問《と》い返《かえ》す。

「そう。その無人島《むじんとう》には、たくさんの魚《さかな》がいる浅瀬《あさせ》があるらしいんだ。青《あお》や黄色《きいろ》の熱帯魚《ねったいぎょ》のような魚《さかな》もいるって、いとこのお兄《にい》ちゃんが言《い》ってたよ」

「たぶん、それは地球温暖化《ちきゅうおんだんか》の影響《えいきょう》だろうね」

真実《しんじつ》は、興味《きょうみ》なさそうに答《こた》えると、すぐまた本《ほん》に目《め》を戻《もど》した。

――そのときだった。

「真実《しんじつ》くん、健太《けんた》くん、大変《たいへん》よ！」

美希《みき》が、叫《さけ》びながら駆《か》けつけてきた。

「ダークアイが、またまた怖《こわ》い予言《よげん》をネットにアップしたの！」

「えっ、あのダークアイが!?」

美希《みき》は、予言《よげん》の書《か》かれたタブレットの画面《がめん》を二人《ふたり》に見《み》せる。

罪人《つみびと》の悪行《あくぎょう》が、
花《はな》と森《もり》の町《まち》に呪《のろ》いをもたらす。
海《うみ》は血《ち》に染《そ》まり、
魚《さかな》たちは死《し》して浜辺《はまべ》に横《よこ》たわるだろう

「花《はな》と森《もり》の町《まち》って、花森町《はなもりちょう》のことだよね？　えっ、じゃあ、花森海岸《はなもりかいがん》が血《ち》に染《そ》まっちゃうってこと!?」

健太《けんた》は真《ま》っ青《さお》になる。

「ダークアイは、今度《こんど》は私《わたし》たちの町《まち》をターゲットにする気《き》なのよ！」

美希《みき》の声《こえ》に、健太《けんた》はさらに青《あお》くなった。

「真実《しんじつ》くん、本《ほん》なんか読《よ》んでる場合《ばあい》じゃないよ！　ぼくたちの町《まち》が、悪《あく》の組織《そしき》に狙《ねら》われているかもしれないんだ！」

3人《にん》は、すぐさま花森海岸《はなもりかいがん》へと向《む》かったのだった。


花森海岸《はなもりかいがん》は、白砂《しらすな》の美《うつく》しい海岸《かいがん》だ。

沖《おき》には、健太《けんた》が言《い》っていた無人島《むじんとう》がぽっかり浮《う》かんでいる。

ふだんはのどかな海岸《かいがん》に、今日《きょう》は大勢《おおぜい》の人々《ひとびと》が集《あつ》まり、騒然《そうぜん》としていた。

海《うみ》が広《ひろ》い範囲《はんい》にわたって、血《ち》のように赤《あか》く染《そ》まっている。

砂浜《すなはま》には、大量《たいりょう》の死《し》んだ魚《さかな》が打《う》ち上《あ》げられていた。

海水浴《かいすいよく》やサーフィンをしに訪《おとず》れた人々《ひとびと》も、海《うみ》に入《はい》ることができず、ただただ目《め》の前《まえ》の光景《こうけい》を見《み》て、おびえた顔《かお》をしていた。

「予言《よげん》のとおりだ！　……ぼくたちの町《まち》は呪《のろ》われてる？」

ぼうぜんとつぶやく健太《けんた》の後《うし》ろで、海岸《かいがん》に来《き》ていた江古田《えこた》が言《い》った。

「いや、これは赤潮《あかしお》だよ」

健太《けんた》は、※島民《とうみん》が消失《しょうしつ》した阿久磨島《あくまじま》へ行《い》ったとき、これと同《おな》じ光景《こうけい》を目《め》にしたことを思《おも》い出《だ》した。

「ああ、赤潮《あかしお》か……。プランクトンがたくさん増《ふ》えると起《お》きる現象《げんしょう》だって、真実《しんじつ》くん、たしかあのとき言《い》っていたよね？」

「そのとおりさ、健太《けんた》くん。赤潮《あかしお》は富栄養化《ふえいようか》といって、プランクトンの栄養《えいよう》となるものが多《おお》くなりすぎると、発生《はっせい》する。人間《にんげん》が使《つか》った洗剤《せんざい》や農薬《のうやく》、肥料《ひりょう》などに含《ふく》まれる窒素《ちっそ》やリンが、長雨《ながあめ》によって大量《たいりょう》に海《うみ》に流《なが》れ込《こ》んだことが原因《げんいん》だ。海《うみ》が赤《あか》く染《そ》まるのは、植物性《しょくぶつせい》プランクトンが持《も》つ色素《しきそ》のせいなのさ」

赤潮《あかしお》になると、増《ふ》えすぎたプランクトンのせいで水中《すいちゅう》の酸素《さんそ》が不足《ふそく》したり、プランクトンが魚《さかな》のエラに張《は》りついたりして、呼吸《こきゅう》できなくなって死《し》

プランクトン

水《みず》の中《なか》で生活《せいかつ》し、ほとんど運動能力《うんどうのうりょく》がなく水中《すいちゅう》を漂《ただよ》っている生物《せいぶつ》の総称《そうしょう》。植物《しょくぶつ》プランクトンと動物《どうぶつ》プランクトンに大別《たいべつ》される。肉眼《にくがん》で見《み》えない生物《せいぶつ》がほとんどだが、クラゲもプランクトンに分類《ぶんるい》されるため、エチゼンクラゲ（写真《しゃしん》）などは1メートル以上《いじょう》ある大《おお》きなプランクトンということになる。

※『科学探偵《かがくたんてい》vs.《ブイエス》消滅《しょうめつ》した島《しま》』参照《さんしょう》。

んでしまうこともある。

死《し》んだ魚《さかな》が大量《たいりょう》に浜《はま》に打《う》ち上《あ》げられていたのは、そのせいだったのだ。

「なんだか魚《さかな》がかわいそうだね。これって、ぼくたちが川《かわ》を汚《よご》したせい？」

「ううん、やっぱりダークアイのしわざなんじゃない？　予言《よげん》を現実《げんじつ》のものにするために、海《うみ》をわざと富栄養化《ふえいようか》の状態《じょうたい》にして赤潮《あかしお》を発生《はっせい》させたのよ！」

息巻《いきま》く美希《みき》の横《よこ》で、真実《しんじつ》は口元《くちもと》に手《て》をやりながらつぶやく。

「ダークアイは、そんなことができる規模《きぼ》の組織《そしき》なのか……」

「まあ、誰《だれ》のせいかは知《し》らんが、海《うみ》がこんな状態《じょうたい》になってしまったのは、嘆《なげ》かわしいことだよな」

江古田《えこた》は、暗《くら》い表情《ひょうじょう》でつぶやいた。

しかし、落《お》ち込《こ》んでいる健太《けんた》たちを見《み》て、笑顔《えがお》を向《む》けながら言《い》う。

「それはさておき、メシでも食《く》いに行《い》かないか。近《ちか》くに魚《さかな》のうまい店《みせ》があるんだよ」

「え、本当《ほんとう》ですか⁉」

美希《みき》は、目《め》を輝《かがや》かせる。

「行《い》きます！　行《い》きます！」

健太《けんた》は、ふたつ返事《へんじ》で答《こた》えた。


江古田《えこた》が真実《しんじつ》、健太《けんた》、美希《みき》を連《つ》れてやってきたのは、海岸《かいがん》の近《ちか》くにある定食屋《ていしょくや》だった。

「さざなみ」という店名《てんめい》が書《か》かれた看板《かんばん》がかけられただけの、なんの変哲《へんてつ》もない古《ふる》びた店《みせ》。

しかし、店内《てんない》は常連客《じょうれんきゃく》たちでにぎわっている。

「うわー、お刺《さ》し身《み》、おいしい！」

「アジフライもサイコー!!」

江古田《えこた》がごちそうしてくれた定食《ていしょく》をパクつき、美希《みき》と健太《けんた》は歓声《かんせい》をあげる。

「だろ？　落《お》ち込《こ》んだときは、うまいもんを食《く》うに限《かぎ》る。長年記者《ながねんきしゃ》をやっていて身《み》についた知恵《ちえ》だよ」

つけ合《あ》わせの納豆《なっとう》をかきまぜながら語《かた》る江古田《えこた》を見《み》て、真実《しんじつ》は言《い》った。

「納豆《なっとう》、ずいぶん念入《ねんい》りにかきまぜるんですね」

「うん。納豆《なっとう》は必《かなら》ず300回《かい》かきまぜることにしてる。そうすると、このネバネバに空気《くうき》が入《はい》って舌《した》ざわりがまろやかになるんだ」

「え、ホントに？　よおし、じゃあ、ぼくも！」

健太《けんた》は、江古田《えこた》のマネをして一心不乱《いっしんふらん》に納豆《なっとう》をかきまぜはじめた。

「うわー、泡《あわ》がたくさん！」

300回《かい》かきまぜた納豆《なっとう》からは、たくさんの泡《あわ》が出《で》ていた。

一口《ひとくち》食《た》べて、健太《けんた》は目《め》を丸《まる》くする。

「わあ、ほんとだあ！　よくかきまぜると、おいしくなるんだねえ～！」

そのとき、一同《いちどう》の様子《ようす》を見《み》ながら、店主《てんしゅ》がつぶやいた。

「この店《みせ》も、納豆《なっとう》みたいに粘《ねば》り強《づよ》く続《つづ》けていけたらいいんだけど」

「え、それって、どういうことですか？」

驚《おどろ》いて問《と》い返《かえ》す美希《みき》に、店主《てんしゅ》はさびしげに言《い》った。

「ウチはとれたての地魚《じざかな》を売《う》りにしてる店《みせ》なんだけど、最近《さいきん》、不漁《ふりょう》で魚《さかな》が手《て》に入《はい》りにくくなっちまってねえ。このままじゃ店《みせ》を閉《し》めるっきゃない

納豆《なっとう》をたくさんかきまぜると健康《けんこう》にいい？

たくさんまぜることで舌《した》ざわりがまろやかになることは間違《まちが》いない。かきまぜる回数《かいすう》によって栄養価《えいようか》が高《たか》まるという俗説《ぞくせつ》もあるが、事実《じじつ》ではない。

地魚《じざかな》
その地方《ちほう》に近《ちか》い海《うみ》でとれた魚《さかな》。新鮮《しんせん》で味《あじ》がいいものが多《おお》い。

かって悩《なや》んでるんだよ」

その言葉《ことば》を聞《き》いた健太《けんた》はふと、花森小学校《はなもりしょうがっこう》の浜田先生《はまだせんせい》ことハマセンが「※最近《さいきん》、花森川《はなもりがわ》で魚《さかな》がとれない」とぼやいていたことを思《おも》い出《だ》した。

(海《うみ》や川《かわ》で魚《さかな》がとれなくなったことと、さっき見《み》た赤潮《あかしお》……何《なに》か関係《かんけい》があるのかな?)

「ぜんぶアイツのせいだ!」

そのとき、一方《いっぽう》から、声《こえ》が響《ひび》いた。

怒《いか》りの声《こえ》をあげたのは、この店《みせ》の常連客《じょうれんきゃく》の一人《ひとり》だった。

同《おな》じテーブルには、漁業《ぎょぎょう》や養殖業《ようしょくぎょう》の関係者《かんけいしゃ》たちが集《あつ》まっている。

「花森《はなもり》の海《うみ》があんなふうになっちまったのは、ぜんぶアイツの……乗鞍波太郎《のりくらなみたろう》のせいなんだ。アイツが花森川沿《はなもりがわぞ》いに工場《こうじょう》を建《た》ててからというもの、たびたび赤潮《あかしお》が起《お》きるようになった。海《うみ》は不漁続《ふりょうつづ》き、養殖《ようしょく》の魚《さかな》も全滅《ぜんめつ》だ!」

常連客《じょうれんきゃく》たちは、これから乗鞍《のりくら》のもとへ抗議《こうぎ》に行《い》くところだという。

「それが本当《ほんとう》なら聞《き》き捨《ず》てならない話《はなし》だな。よかったら取材《しゅざい》させてもらえませんか?」

江古田《えこた》が言《い》うと、常連客《じょうれんきゃく》たちは驚《おどろ》いた顔《かお》になる。

※前編参照《ぜんぺんさんしょう》。

「あんた、記者《きしゃ》さん？」

「ああ。一緒《いっしょ》にいるこの子《こ》たちも、まだ小学生《しょうがくせい》だけど記者《きしゃ》なんだ」

「そりゃあ、いい」

「乗鞍《のりくら》の悪行《あくぎょう》、ばっちり記事《きじ》にしてもらえると助《たす》かるな」

常連客《じょうれんきゃく》たちは、江古田《えこた》と真実《しんじつ》たちの同行《どうこう》を快《こころよ》く歓迎《かんげい》してくれた。


その工場《こうじょう》は、花森川沿《はなもりがわぞ》いに、最近《さいきん》、建《た》てられたばかりだという。

農薬《のうやく》や肥料《ひりょう》などを製造《せいぞう》する工場《こうじょう》とのことだった。

工場《こうじょう》の門《もん》をくぐり、敷地内《しきちない》に足《あし》を踏《ふ》み入《い》れると、すぐ横《よこ》は駐車場《ちゅうしゃじょう》になっていた。

「いた！　アイツだ！」

高級車《こうきゅうしゃ》から降《お》りてきた、軽薄《けいはく》そうな男《おとこ》を指《ゆび》さし、漁業関係者《ぎょぎょうかんけいしゃ》の一人《ひとり》が叫《さけ》ぶ。

「記者《きしゃ》さん、アイツが乗鞍《のりくら》ですよ！」

サーフィンが趣味《しゅみ》という社長《しゃちょう》の乗鞍《のりくら》は、真《ま》っ黒《くろ》に日焼《ひや》けして、片耳《かたみみ》にピアス、首《くび》には金《きん》のネックレスをつけていた。

「あんた、この工場《こうじょう》から廃水《はいすい》をたれ流《なが》してんだろ！」

漁業《ぎょぎょう》や養殖業《ようしょくぎょう》の関係者《かんけいしゃ》たちは、乗鞍《のりくら》に駆《か》け寄《よ》ると、つかみかからんばかりの勢《いきお》いで食《く》ってかかる。

「スクープだわ！」と、美希《みき》はその様子《ようす》を素早《すばや》く写真《しゃしん》に撮《と》った。

しかし、乗鞍《のりくら》は、すずしげな顔《かお》でこう言《い》い返《かえ》した。

「いやだなあ、たれ流《なが》しなんかしてませんよ。よかったら、証拠《しょうこ》をお見《み》せしましょうか？」

乗鞍《のりくら》が一同《いちどう》を案内《あんない》し、やってきたのは、工場《こうじょう》の敷地内《しきちない》にある汚水槽《おすいそう》の前《まえ》だった。

「うあ～っ、なんか変《へん》なにおい……」

鼻《はな》をつく異臭《いしゅう》に、健太《けんた》は思《おも》わず顔《かお》をしかめる。

しかし、乗鞍《のりくら》は、笑顔《えがお》で言《い》った。

「工場《こうじょう》で出《で》た廃水《はいすい》は、いったんこの汚水槽《おすいそう》に集《あつ》められ、定期的《ていきてき》に処理業者《しょりぎょうしゃ》を呼《よ》んで回収《かいしゅう》してもらっています。どのように処理《しょり》されるかは、映像《えいぞう》でごらんいただきましょう」

一同《いちどう》を応接室《おうせつしつ》に連《つ》れていき、廃水《はいすい》が処理《しょり》される過程《かてい》をビデオで見《み》せる乗鞍《のりくら》。

「このように微生物《びせいぶつ》を使《つか》って汚泥《おでい》を分離《ぶんり》して沈《しず》め、きれいになった上澄《うわず》みだけを川《かわ》に流《なが》して

いるんです。それと、何《なに》を隠《かく》そう、ウチの工場《こうじょう》はあの清井社長《きよいしゃちょう》から融資《ゆうし》を受《う》けているんですよ。エデン・プロジェクトの一環《いっかん》である植物園《しょくぶつえん》の造園《ぞうえん》にも、ウチの農薬《のうやく》と肥料《ひりょう》が一役買《ひとやくか》っているんです」

自信満々《じしんまんまん》な乗鞍《のりくら》を前《まえ》に、一同《いちどう》は振《ふ》り上《あ》げたこぶしのやり場《ば》を失《うしな》う。

「清井社長《きよいしゃちょう》といえば、環境保護派《かんきょうほごは》で有名《ゆうめい》な人《ひと》だよな？」

「まあ、これといった証拠《しょうこ》もないし、今日《きょう》のところは引《ひ》き下《さ》がるしかないか」

一同《いちどう》は釈然《しゃくぜん》としない思《おも》いを抱《かか》えたまま、応接室《おうせつしつ》をあとにした。

門《もん》の前《まえ》までやってくると、江古田《えこた》は、漁業《ぎょぎょう》と養殖業《ようしょくぎょう》の関係者《かんけいしゃ》たちに言《い》った。

「よかったら、これから飲《の》みに行《い》きませんか？」

不漁《ふりょう》や、最近《さいきん》、頻繁《ひんぱん》に発生《はっせい》している赤潮《あかしお》について、江古田《えこた》は関係者《かんけいしゃ》たちからくわしい話《はなし》を聞《き》きたいらしい。飲《の》み会《かい》に子《こ》どもがついていくわけにはいかないので、真実《しんじつ》たちはここで江古田《えこた》たちと別《わか》れ、帰路《きろ》につくことと

工場《こうじょう》の廃水処理《はいすいしょり》
工場《こうじょう》の活動《かつどう》によって出《で》てくる廃水《はいすい》の処理《しょり》はさまざまな方法《ほうほう》がある。たくさんの微生物《びせいぶつ》を含《ふく》む泥《どろ》に廃水《はいすい》を通《とお》して廃水内《はいすいない》の物質《ぶっしつ》を分解《ぶんかい》させる方法《ほうほう》は「活性汚泥法《かっせいおでいほう》」と呼《よ》ばれる。

なった。

「あの乗鞍《のりくら》って人《ひと》の言《い》ってた話《はなし》、本当《ほんとう》かしら？　なんだかうまく丸《まる》めこまれちゃったような気《き》がするんだけど……」

美希《みき》がつぶやく。

3人《にん》は川沿《かわぞ》いの道《みち》を歩《ある》きはじめたが、歩《ある》きだしてすぐ、真実《しんじつ》が足《あし》を止《と》めた。

「アオコだ」

「え、アオコって何《なに》？　真実《しんじつ》くん」

真実《しんじつ》が指《ゆび》さした先《さき》、川《かわ》が一面《いちめん》、緑色《みどりいろ》に染《そ》まっている。

「アオコというのは、淡水《たんすい》に発生《はっせい》する赤潮《あかしお》の一種《いっしゅ》さ。植物性《しょくぶつせい》のプランクトンで、窒素《ちっそ》やリンなどの多《おお》い川《かわ》や池《いけ》に見《み》られ、夏《なつ》の強《つよ》い光《ひかり》を浴《あ》びて爆発的《ばくはつてき》に増殖《ぞうしょく》する。これだけのアオコが工場《こうじょう》の真下《ました》の川《かわ》にだけ発生《はっせい》しているということは、何《なに》か、それなりの理由《りゆう》があるはずだ」

アオコ
池《いけ》や川《かわ》、沼《ぬま》などで、大《だい》発生《はっせい》して水面《すいめん》を青緑色《あおみどりいろ》にしてしまう小《ちい》さな藻《も》の総称《そうしょう》。魚《さかな》を大量《たいりょう》死《し》させたり、水質《すいしつ》を悪《わる》くしたりする。

真実《しんじつ》はけわしい顔《かお》でつぶやき、眼鏡《めがね》をクイッと持《も》ち上《あ》げた。

「やっぱりね！　乗鞍《のりくら》は、夜中《よなか》にこっそり廃水《はいすい》をたれ流《なが》してるんじゃない？」

美希《みき》が疑《うたが》わしげに言《い》う。すると、真実《しんじつ》もうなずいた。

「汚水処理業者《おすいしょりぎょうしゃ》に委託《いたく》するには、それなりにお金《かね》もかかるからね。頼《たの》んでるふりをして実際《じっさい》には大部分《だいぶぶん》をたれ流《なが》しているという可能性《かのうせい》は十分《じゅうぶん》に考《かんが》えられる」

「ねえ、今夜《こんや》、工場《こうじょう》へ行《い》ってみない？　たれ流《なが》しの証拠《しょうこ》を押《お》さえられるかもよ」

美希《みき》が提案《ていあん》する。

「えっ、ぼくたちだけで!?」

健太《けんた》は怖《こわ》いと思《おも》ったが、引《ひ》き下《さ》がるわけにはいかない。

（もしも本当《ほんとう》に廃水《はいすい》をたれ流《なが》しているんだとしたら……）

自分《じぶん》たちが住《す》む町《まち》の川《かわ》や海《うみ》を守《まも》るために、なんとしても証拠《しょうこ》をあげて、それをやめさせなければならないと思《おも》ったのだ。


夜《よる》になった。

工場《こうじょう》の門《もん》は、すでに閉《し》まっている。真実《しんじつ》、健太《けんた》、美希《みき》の3人《にん》は、金網《かなあみ》のフェンスを乗《の》り越《こ》えて、工場《こうじょう》の敷地《しきち》の中《なか》へと足《あし》を踏《ふ》み入《い》れた。

「夜《よる》の工場《こうじょう》って、なんか不気味《ぶきみ》だな。おばけが出《で》そうな雰囲気《ふんいき》だ」

健太《けんた》は、ブルッと、その身《み》を震《ふる》わせる。

3人《にん》は、建物《たてもの》のほうへと歩《ある》きだした。

しばらくして真実《しんじつ》がふと立《た》ち止《ど》まり、敷地《しきち》の奥《おく》を指《ゆび》さす。

「あそこに、明《あ》かりが見《み》える。誰《だれ》かいるようだ」

「えっ。だ、誰《だれ》かって……？」

「とにかく近《ちか》くまで行《い》ってみよう」

敷地《しきち》の奥《おく》へと向《む》かった3人《にん》は、昼間見《ひるまみ》た汚水槽《おすいそう》の近《ちか》くまでやってきて、足《あし》を止《と》めた。

汚水槽《おすいそう》のまわりには、数人《すうにん》の作業服姿《さぎょうふくすがた》の人影《ひとかげ》が見《み》える。

「何《なに》をしているのかしら……？」

美希《みき》が小声《こごえ》でつぶやいたそのとき、背後《はいご》で鋭《するど》い声《こえ》が響《ひび》いた。

「キミたち、そこで何《なに》やってるんだ!?」

3人《にん》は、ハッとして振《ふ》り向《む》く。立《た》っていたのは、警備員《けいびいん》だった。
（ヤバい、見《み》つかっちゃった……）
健太《けんた》は足《あし》をすくませ、ガクガクと震《ふる》えだす。
警備員《けいびいん》に向《む》けられたライトのまぶしさと恐怖《きょうふ》で、健太《けんた》は思《おも》わず目《め》を閉《と》じだ。
——そのときだった。
「うわっ！　な、なんだ!?」
警備員《けいびいん》のおびえた声《こえ》が響《ひび》く。
おそるおそる目《め》を開《あ》けた健太《けんた》は、眼前《がんぜん》で繰《く》り広《ひろ》げられている光景《こうけい》に、息《いき》をのんだ。
警備員《けいびいん》は、翼《つばさ》を広《ひろ》げた黒《くろ》い影《かげ》に襲《おそ》われていたのだ。
バサバサバサッ。
よく見《み》ると、それは1羽《わ》のタカだった。
警備員《けいびいん》の顔《かお》に覆《おお》いかぶさり、その視界《しかい》をふさぐように羽《は》ばたいている。
「健太《けんた》くん、早《はや》く！　このすきに逃《に》げるのよ！」
立《た》ちすくんでいた健太《けんた》は、美希《みき》にグイッと腕《うで》をつかまれる。

3人《にん》は、その場《ば》を逃《に》げだした。

フェンスを乗《の》り越《こ》え、工場《こうじょう》の敷地《しきち》の外《そと》に出《で》て、3人《にん》はホッと息《いき》をつく。

「ぼくたちが助《たす》かったのは、あのタカのおかげだよね？　どうして助《たす》けてくれたんだろう」

健太《けんた》は不思議《ふしぎ》に思《おも》った。


「大変大変《たいへんたいへん》！」

翌日《よくじつ》、美希《みき》はタブレットを手《て》にしながら、真実《しんじつ》と健太《けんた》のもとに駆《か》けつけてきた。

「ダークアイに先《さき》を越《こ》されたわ！」

「先《さき》を越《こ》された!?　えっ、それってどういうこと!?」

「ダークアイは、乗鞍《のりくら》の工場《こうじょう》から廃水《はいすい》がたれ流《なが》される現場《げんば》を押《お》さえて、その動画《どうが》をネットに公開《こうかい》したの！」

美希《みき》はそう言《い》って、タブレットに映《うつ》った動画《どうが》を二人《ふたり》に見《み》せる。

そこには、従業員《じゅうぎょういん》と思《おぼ》しき作業服姿《さぎょうふくすがた》の男《おとこ》たちが夜中《よなか》にこっそり汚水槽《おすいそう》から廃水《はいすい》をくみ上《あ》げ、ホースで花森川《はなもりがわ》に流《なが》している様子《ようす》がばっちり映《うつ》っていた。

「この作業服《さぎょうふく》を着《き》た人《ひと》たち、私《わたし》たちが夕《ゆう》べ見《み》かけた人《ひと》たちと同《おな》じよね？」

「ということはあのとき、廃水《はいすい》をくみ上《あ》げて川《かわ》に流《なが》していたのか！」

動画《どうが》を見《み》て、健太《けんた》はあぜんとした。

「この動画《どうが》は、夕《ゆう》べ撮《と》られたものだと考《かんが》えられる。ということは、ダークアイもあの場所《ばしょ》にいたってことか……」

真実《しんじつ》は何《なに》かを思案《しあん》するように、唇《くちびる》に手《て》を当《あ》てた。


動画《どうが》を見《み》た町《まち》の人《ひと》たちは、怒《いか》り心頭《しんとう》に発《はっ》した。今度《こんど》は漁業《ぎょぎょう》や養殖業《ようしょくぎょう》の関係者《かんけいしゃ》だけでなく、大勢《おおぜい》の町民《ちょうみん》たちが乗鞍《のりくら》の工場《こうじょう》に押《お》し寄《よ》せ、抗議《こうぎ》の声《こえ》をあげた。

「みなさん、落《お》ち着《つ》いてください。あの動画《どうが》はフェイクです。夕《ゆう》べ、何者《なにもの》かが工場《こうじょう》の敷地《しきち》に侵入《しんにゅう》しました。動画《どうが》に映《うつ》っているのは、私《わたし》を陥《おとしい》れようとしているダークアイの連中《れんちゅう》です。彼《かれ》らは、フェイク動画《どうが》づくりが得意《とくい》なんですよ」

しかし、人々《ひとびと》は、乗鞍《のりくら》の言《い》い訳《わけ》を容易《ようい》には信《しん》じなかった。

工場《こうじょう》を建《た》てて以来《いらい》、地元《じもと》の海《うみ》でサーフィンをしなくなっていた乗鞍《のりくら》に対《たい》して、サーファー仲間《なかま》も疑惑《ぎわく》の目《め》を向《む》ける。

「アイツ、廃水《はいすい》をたれ流《なが》してるから、地元《じもと》ではサーフィンしないんじゃねえ？」

「海《うみ》を汚《よご》すなんて、サーファーの風上《かざかみ》にも置《お》けないやつだな！」

そんななか、ダークアイは、新《あら》たな予言詩《よげんし》をネットに上《あ》げた。

嵐《あらし》の日《ひ》
血《ち》の海《うみ》から魔物《まもの》が現《あらわ》れ、
罪人《つみびと》に裁《さば》きを下《くだ》すであろう

動画《どうが》の効果《こうか》もあり、これまで以上《いじょう》に多《おお》くの人《ひと》が予言詩《よげんし》に注目《ちゅうもく》した。
《罪人《つみびと》って、たれ流《なが》しをしている乗鞍《のりくら》のことだよな？》
《アイツ、魔物《まもの》に食《く》われちまうのか？》
《いい気味《きみ》》
《海《うみ》を汚《よご》した罰《ばつ》だ》

SNS《エスエヌエス》には、乗鞍《のりくら》を批判《ひはん》するそんな投稿《とうこう》が山《やま》ほど寄《よ》せられた。

天気予報《てんきよほう》が台風《たいふう》の接近《せっきん》——嵐《あらし》の到来《とうらい》を告《つ》げたのは、折《おり》しもそんなときだった。

「嵐《あらし》が来《き》た！　魔物《まもの》が花森海岸《はなもりかいがん》に現《あらわ》れるかもしれない！」

真実《しんじつ》、健太《けんた》、美希《みき》は、花森海岸《はなもりかいがん》へと走《はし》る。

海岸《かいがん》には大勢《おおぜい》の人々《ひとびと》が集《あつ》まり、ザワめいていた。江古田《えこた》の姿《すがた》も見《み》える。

人々《ひとびと》の輪《わ》の中心《ちゅうしん》にいたのは、サーフボードを手《て》にした乗鞍《のりくら》だった。

「みなさん、あの予言《よげん》はデマです！　これから、それを証明《しょうめい》してみせます！」

「えっ、証明《しょうめい》するって、どういうこと!?」

問《と》い返《かえ》した美希《みき》に、江古田《えこた》が答《こた》える。

「乗鞍《のりくら》は、台風《たいふう》が接近《せっきん》したこの海《うみ》で、サーフィンをしてみせるんだとさ」

「ええっ!?」

健太《けんた》は驚《おどろ》く。

「自分《じぶん》は罪人《つみびと》ではない、魔物《まもの》など恐《おそ》れていないってところを見《み》せつけたいんだろうけど……

無茶《むちゃ》だよな」

江古田《えこた》の言葉《ことば》に、真実《しんじつ》もうなずく。

「無謀《むぼう》なことはやめておいたほうがいい。危険《きけん》です」

真実《しんじつ》は止《と》めようとしたが、乗鞍《のりくら》は聞《き》く耳《みみ》を持《も》たず、サーフボードを手《て》に海《うみ》へと入《はい》っていった。海《うみ》には、激《はげ》しい波《なみ》が押《お》し寄《よ》せている。さかまく波《なみ》のチューブの中《なか》を、乗鞍《のりくら》は巧《たく》みなライディングでくぐり抜《ぬ》けていった。

「あはは、見《み》ろ、いい波《なみ》じゃないか！　この海《うみ》に魔物《まもの》なんているワケがない！」

乗鞍《のりくら》がボードの上《うえ》でポーズを決《き》め、そう叫《さけ》んだときだった。

海《うみ》の中《なか》からモクモクと、雲《くも》のような何《なに》かが湧《わ》き出《だ》してきたのだった。

「魔物《まもの》だ!!」

健太《けんた》は息《いき》をのむ。

それは、白《しろ》い怪物《かいぶつ》だった。

雲《くも》のように刻々《こくこく》と姿《すがた》を変《か》え、巨大化《きょだいか》しながら、こちらに迫《せま》ってくる。

「どうしよう……。ぼくたち、みんな襲《おそ》われちゃう！」

しかし、真実《しんじつ》は言《い》った。

「いや、あれは泡《あわ》さ」

「泡《あわ》!?」

「赤潮《あかしお》の海《うみ》に、ある天候条件《てんこうじょうけん》が加《くわ》わって、大量《たいりょう》の泡《あわ》が発生《はっせい》したんだ」

この日《ひ》は晴《は》れ間《ま》が出《で》て暑《あつ》かったが、台風《たいふう》の接近《せっきん》で風《かぜ》が強《つよ》く、時折《ときおり》、雨《あめ》もパラついていた。

いったいどんな天候条件《てんこうじょうけん》によって、泡《あわ》は発生《はっせい》したというのだろうか。

気温上昇《きおんじょうしょう》

強風《きょうふう》

雨天《うてん》

泡《あわ》が大量《たいりょう》に発生《はっせい》する原因《げんいん》は何《なん》だろう?

解《かい》決《けつ》編《へん》

発生《はっせい》したナゾの泡《あわ》は、みるみる増《ふ》え、海岸《かいがん》を覆《おお》い尽《つ》くすほどになった。

「うわ――！　助《たす》けてくれええええ――!!!」

乗鞍《のりくら》の叫《さけ》び声《ごえ》が響《ひび》き渡《わた》る。

サーフィンをしていた乗鞍《のりくら》は、巨大《きょだい》な泡《あわ》にのみ込《こ》まれたのだった。

「泡《あわ》の怪物《かいぶつ》だ!!」

「予言《よげん》どおり、魔物《まもの》が海《うみ》に現《あらわ》れたんだ！」

海岸《かいがん》にいた人々《ひとびと》はパニックを起《お》こし、いっせいに海《うみ》とは反対《はんたい》の方角《ほうがく》に向《む》かって走《はし》っていく。それを見《み》て、真実《しんじつ》は叫《さけ》んだ。

「皆《みな》さん、落《お》ち着《つ》いてください！　あの泡《あわ》は、強風《きょうふう》によって海水《かいすい》がかきまぜられ、発生《はっせい》したものです！」

その声《こえ》に、冷静《れいせい》さを取《と》り戻《もど》した何人《なんにん》かの人々《ひとびと》が、乗鞍《のりくら》の救出《きゅうしゅつ》に向《む》かう。

泡《あわ》の海《うみ》におぼれかけていた乗鞍《のりくら》は、危《あや》ういところを助《たす》けられ、救急車《きゅうきゅうしゃ》に乗《の》せられて病院《びょういん》へと運《はこ》ばれていった。

健太《けんた》は、ホッと息《いき》をつき、真実《しんじつ》に言《い》った。

「真実《しんじつ》くん、この泡《あわ》は、強《つよ》い風《かぜ》が原因《げんいん》で発生《はっせい》したんだね」

「そのとおりさ、健太《けんた》くん。この海《うみ》は、赤潮《あかしお》を引《ひ》き起《お》こした大量《たいりょう》のプランクトンが出《だ》す分泌物《ぶんぴつぶつ》で、粘《ねば》り気《け》の高《たか》いものになっていた。それが強風《きょうふう》で起《お》きた激《はげ》しい波《なみ》にかきまぜられて、大量《たいりょう》の泡《あわ》が発生《はっせい》したというわけさ」

すると、江古田《えこた》が横《よこ》から、かみくだいた説明《せつめい》をする。

「ネバネバの納豆《なっとう》をかきまぜると、泡《あわ》がたくさん出《で》るだろ？　あれと同《おな》じだよ」

健太《けんた》は「そっか」と、納得《なっとく》した。

江古田《えこた》は続《つづ》ける。

「この現象《げんしょう》はカプチーノ・コースト、日本《にほん》では波《なみ》の花《はな》って呼《よ》ばれててね。北陸《ほくりく》や北海道《ほっかいどう》の沿岸《えんがん》では風《かぜ》の強《つよ》い日《ひ》によく見《み》られ、冬《ふゆ》の風物詩《ふうぶつし》となっているんだよ。まれに、夏《なつ》に起《お》こることもある」

江古田《えこた》も北陸《ほくりく》の支社《ししゃ》にいたころ、この現象《げんしょう》を何度《なんど》か目《め》にしたことがあるという。

カプチーノ・コースト
2020年《ねん》5月《がつ》にオランダで発生《はっせい》したカプチーノ・コーストでは、サーファー5人《にん》が死亡《しぼう》している。

「でも、この現象《げんしょう》の中《なか》には、波《なみ》の花《はな》のようなロマンチックなものばかりじゃなくて、有害《ゆうがい》なものもある。２０２１年《ねん》、インドで発生《はっせい》したカプチーノ・コーストは、大雨《おおあめ》により川《かわ》から流《なが》れ込《こ》んだ汚水《おすい》が原因《げんいん》だった。海《うみ》から湧《わ》き出《で》た毒《どく》の泡《あわ》のせいで、呼吸器疾患《こきゅうきしっかん》の患者《かんじゃ》が増《ふ》えたといわれている」

今回《こんかい》、花森海岸《はなもりかいがん》で起《お》きたカプチーノ・コーストも、インドの場合《ばあい》と同《おな》じ有害《ゆうがい》な事例《じれい》だと、江古田《えこた》は言《い》う。それを聞《き》いて、真実《しんじつ》はつぶやいた。

「ダークアイは、乗鞍《のりくら》の工場《こうじょう》が廃水《はいすい》をたれ流《なが》していることを知《し》っていた。長雨《ながあめ》のあとの晴天《せいてん》や強風《きょうふう》などの天候《てんこう》の変化《へんか》によって、赤潮《あかしお》やカプチーノ・コーストが起《お》きるということも予測《よそく》していたんだ。どうやら彼《かれ》らは、単純《たんじゅん》な愉快犯《ゆかいはん》ではなさそうだな」

「ダークアイは、乗鞍《のりくら》の環境破壊《かんきょうはかい》を告発《こくはつ》するために、あの予言《よげん》をネットに公開《こうかい》したってこと？」

美希《みき》の問《と》いかけに、真実《しんじつ》はうなずきながら、付《つ》け加《くわ》えた。

「でも、それだけじゃないかもしれない。ダークアイは、乗鞍《のりくら》の性格《せいかく》やサーフィン好《ず》きであることもあらかじめ調《しら》べ上《あ》げ、自《みずか》ら危険《きけん》に飛《と》び込《こ》むようにあおったとも考《かんが》えられる」

「ダークアイの目的《もくてき》は、悪人《あくにん》をこらしめることだったの？　だとしたら彼《かれ》らにも、それなりの正義《せいぎ》はあるってことよね」

美希《みき》がつぶやく。すると、健太《けんた》が口《くち》をはさんだ。

「でも、あの乗鞍《のりくら》って人《ひと》、下手《へた》したらカプチーノ・コーストにのみ込《こ》まれて、おぼれちゃったかもしれないんでしょ？　川《かわ》や海《うみ》を汚《よご》すのは悪《わる》いことだけど……でも、だからって、わざと危険《きけん》に飛《と》び込《こ》むように仕向《しむ》けるなんて……」

江古田《えこた》もうなずいた。

「たしかに彼《かれ》らのやり方《かた》は、あまり感心《かんしん》できるものではない。でも、一方《いっぽう》で、環境破壊《かんきょうはかい》に怒《おこ》る気持《きも》ちもわかる。私《わたし》だって、いきどおりを感《かん》じている」

「え、江古田《えこた》さんも？」

いつも穏《おだ》やかな江古田《えこた》の口《くち》から出《で》た言葉《ことば》に、健太《けんた》は驚《おどろ》く。

「この花森海岸《はなもりかいがん》は、昔《むかし》、娘《むすめ》とよく海水浴《かいすいよく》をした思《おも》い出《で》の場所《ばしょ》なんだ。そのころ、この海《うみ》は底《そこ》が見《み》えるほど透明《とうめい》で、浅瀬《あさせ》を泳《およ》いでいると、サヨリの群《む》れなんかがすぐそばを横切《よこぎ》っていったものさ」

江古田《えこた》の娘《むすめ》・守里《まもり》は、江古田《えこた》の影響《えいきょう》を受《う》けて、自然《しぜん》の好《す》きな女性《じょせい》に育《そだ》った。

大学卒業後《だいがくそつぎょうご》は清井《きよい》のいた「ハピネス・ピープルズ」に就職《しゅうしょく》し、野生動物《やせいどうぶつ》や自然《しぜん》を保護《ほご》する仕事《しごと》ができると言《い》って喜《よろこ》んでいたという。

「でも、仕事先《しごとさき》のマレーシアで山火事《やまかじ》に巻《ま》き込《こ》まれてしまってね……」

「や、山火事《やまかじ》!?」

「娘《むすめ》さんが亡《な》くなったのって、もしかしてその火事《かじ》が原因《げんいん》だったんですか!?」

健太《けんた》と美希《みき》が驚《おどろ》き、問《と》い返《かえ》すと、江古田《えこた》は悲《かな》しげに言《い》った。

「うん、そうだよ。焼《や》け跡《あと》から娘《むすめ》の遺体《いたい》は見《み》つからなかったけど、清井《きよい》さんの話《はなし》では、森《もり》を火事《かじ》から守《まも》ろうとして逃《に》げ遅《おく》れたらしい。そんな娘《むすめ》が……もし生《い》きていて、この泡《あわ》だらけの花森海岸《はなもりかいがん》を見《み》たら、なんて言《い》うだろうねえ……」


そのころ、「エデン建設予定地《けんせつよていち》」と看板《かんばん》が立《た》てられた草原《そうげん》では、無数《むすう》の茶色《ちゃいろ》い昆虫《こんちゅう》がピョンピョン跳《は》ね回《まわ》っていた。——バッタだ。

造成地《ぞうせいち》のこの場所《ばしょ》では、なぜかバッタが大繁殖《だいはんしょく》していたのだった。

8

SCIENCE TRICK DATA FILE

科学《かがく》トリック データファイル

海《うみ》が泡《あわ》だらけになる「波《なみ》の花《はな》」

海藻《かいそう》やプランクトンが大量《たいりょう》に含《ふく》まれる海水《かいすい》が強風《きょうふう》などで強《つよ》くかきまぜられると大量《たいりょう》の泡《あわ》＝「波《なみ》の花《はな》」が発生《はっせい》します。赤潮《あかしお》のときは、波《なみ》の花《はな》が発生《はっせい》しやすい状況《じょうきょう》になっています。水温《すいおん》が低《ひく》いと水《みず》の粘《ねば》り気《け》が増《ま》すため、波《なみ》の花《はな》はおもに冬《ふゆ》に見《み》られます。

波《なみ》の花《はな》の原因《げんいん》にも？　海《うみ》の汚染《おせん》

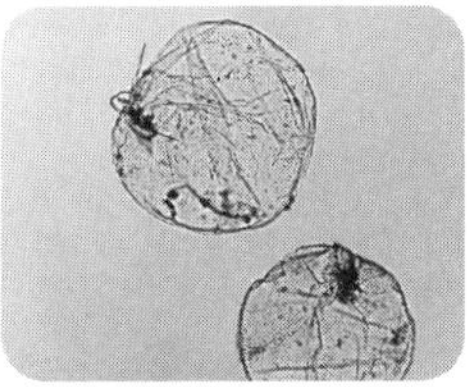

ヤコウチュウ

赤潮《あかしお》を構成《こうせい》するプランクトンの一《いっ》種《しゅ》。体《からだ》の一部《いちぶ》が赤《あか》いため、大量《たいりょう》発生《はっせい》すると海《うみ》が赤《あか》く見《み》える

赤潮《あかしお》

海《うみ》に栄養分《えいようぶん》を大量《たいりょう》に含《ふく》んだ水《みず》が流《なが》れ込《こ》むことによりプランクトンが発生《はっせい》し、海《うみ》が赤《あか》や緑《みどり》に染《そ》まる現象《げんしょう》

毎朝新聞

配慮《はいりょ》していると常日頃か
ら発言《はつげん》していた乗鞍社長《のりくらしゃちょう》が、まったく世間を

花森海岸《はなもりかいがん》で発生《はっせい》した赤《あか》潮《しお》とカプチーノ・コーストの原因《げんいん》は、工場《こうじょう》からたれ流《なが》された廃水《はいすい》だった。

その後《ご》、花森町《はなもりまち》の海《うみ》や川《かわ》の水質《すいしつ》は、魚《さかな》がすみにくくなるほどに悪化《あっか》していることがわかった。

現在《げんざい》、花森町《はなもりちょう》では、汚《お》染《せん》された花森川《はなもりがわ》をきれいにする対策《たいさく》が話《はな》し合《あ》われている。その方法《ほうほう》として提案《ていあん》されているのが、網《あみ》に入《い》れた大量《たいりょう》のカキ殻《がら》を川底《かわぞこ》に敷《し》きつめるというもの。凸凹《でこぼこ》のあるカキ殻《がら》の表面《ひょうめん》には、微生物《びせいぶつ》がすみつく。その微生物《びせいぶつ》が川《かわ》の汚《よご》れを食《た》べ、川《かわ》がきれいになるという。花森川《はなもりがわ》の水《みず》がきれいになれば、川《かわ》の水《みず》が流《なが》れ込《こ》む花森海《はなもりかい》岸《がん》の水《みず》もきれいになる。

環境《かんきょう》を破壊《はかい》するのも人《にん》間《げん》なら、それを回復《かいふく》させるのも人間《にんげん》。ぜひ自分《じぶん》たちもこの活動《かつどう》に参加《さんか》したいと、花森小学校《はなもりしょうがっこう》の児童《じどう》らは熱《あつ》く語《かた》っていた。

第八回《だいはちかい》 カキ殻《がら》で川《かわ》をきれいに! 花森町《はなもりちょう》の取《と》り組《く》み

化

解決！ 超常現象《ちょうじょうげんしょう》ハンター

「波《なみ》の花《はな》」にのまれた乗鞍社長《のりくらしゃちょう》(中央《ちゅうおう》)

りとした
な事件《じけん》だ。
しかしそ
場《ば》を運営《うんえい》
額《がく》の水質《すいしつ》
られな
たわっ

日本《にほん》の絶滅危惧《ぜつめつきぐ》動植物《どうしょくぶつ》

日本固有種《にほんこゆうしゅ》のニホンザリガニは、アメリカザリガニと比《くら》べてずんぐりした体形《たいけい》。開発《かいはつ》で生息地《せいそくち》を奪《うば》われたり、ほかの種《しゅ》との競争《きょうそう》に敗《やぶ》れたりして、環境省《かんきょうしょう》が絶滅危惧《ぜつめつきぐ》Ⅱ類《るい》に指定《してい》している。（M・A）

いやあ、カフェラテ・コーストって、ぼく、初《はじ》めて見《み》たよ。ホントにビックリしたな〜！

健太《けんた》くん、それを言《い》うなら、カプチーノ・コーストでしょ。

2016年《ねん》にフランスで発生《はっせい》したカプチーノ・コーストは、町中《まちじゅう》が泡《あわ》だらけになるほどの大規模《だいきぼ》なものだったらしい。

今回《こんかい》のケースは、そこまでじゃないけど、汚染《おせん》によって発生《はっせい》した泡《あわ》だから、有害物質《ゆうがいぶっしつ》を含《ふく》んでいる可能性《かのうせい》もあるのよね。

魚《さかな》たちは大丈夫《だいじょうぶ》かなあ……？

泡《あわ》の海《うみ》でおぼれかけた乗鞍社長《のりくらしゃちょう》は、一命《いちめい》をとりとめたものの、今《いま》も肺《はい》を悪《わる》くして入院中《にゅういんちゅう》だそうよ。自分《じぶん》が海《うみ》を汚《よご》したせいで、自身《じしん》が被害《ひがい》に遭《あ》うなんて……。バチがあたったのかもしれないね。

自然《しぜん》を破壊《はかい》すれば、結局《けっきょく》は自分《じぶん》に返《かえ》ってくるってことなんだね。

時間《じかん》が経《た》つと泡《あわ》が茶色《ちゃいろ》く変色《へんしょく》することから、カプチーノ・コーストって呼《よ》ばれているんだよ。

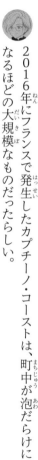

くずれ落《お》ちる疑惑《ぎわく》の黒《くろ》い森《もり》

超《ちょう》・自《し》然《ぜん》現《げん》象《しょう》9

花《はな》森《もり》町《ちょう》・山《さん》中《ちゅう》

「わあ、かわいいなあ〜」

健太《けんた》と美希《みき》はガラス越《ご》しに、愛《あい》くるしい犬《いぬ》や猫《ねこ》たちを見《み》つめていた。

真実《しんじつ》、健太《けんた》、美希《みき》の3人《にん》は、清井《きよい》が経営《けいえい》する花森町《はなもりちょう》のはずれにある大型《おおがた》ペットショップに来《き》ていた。ハムスターや鳥《とり》などの小動物《しょうどうぶつ》のコーナーや、ペット用《よう》グッズコーナーもあり、店内《てんない》で食事《しょくじ》もできる人気《にんき》スポットだ。

健太《けんた》はガラス越《ご》しに、外《そと》のベンチで読書《どくしょ》する真実《しんじつ》を見《み》た。

(真実《しんじつ》くんは店《みせ》にも入《はい》ってこない……真実《しんじつ》くんって動物《どうぶつ》が嫌《きら》いだったっけ？　でも、清井社長《きよいしゃちょう》はなんで急《きゅう》にここに招待《しょうたい》してくれたのかな?)

無邪気《むじゃき》に遊《あそ》ぶ子犬《こいぬ》たちが陳列《ちんれつ》されるなか、大《おお》きな秋田犬《あきたいぬ》が、あごを床《ゆか》につけてベターッとふて寝《ね》していた。美希《みき》と健太《けんた》は、その秋田犬《あきたいぬ》を眺《なが》めた。

「フフ、このコ、なんとも言《い》えない味《あじ》があるね。でも、なんか退屈《たいくつ》そう」

「うん、売《う》れなくて、生《う》まれてから、ずっとここにいるんだって……。もしぼくが犬《いぬ》を飼《か》える家《いえ》に住《す》んでたら、飼《か》ってあげられるんだけどなあ」

「ようこそ！　私《わたし》の経営《けいえい》するペットショップへ」

突然《とつぜん》の大声《おおごえ》に二人《ふたり》が振《ふ》り向《む》くと、小型犬《こがたけん》を抱《だ》いた清井《きよい》が笑顔《えがお》でスタスタとやってきた。

健太《けんた》と美希《みき》の手《て》を強引《ごういん》にとり、力強《ちからづよ》く握手《あくしゅ》する。

「キミたちの新聞連載《しんぶんれんさい》、読《よ》ませてもらったよ。大人気《だいにんき》だそうだね。ぜひうちのペットショップのことも記事《きじ》にしてくれよ。少子化《しょうしか》の時代《じだい》、これから人《ひと》は動物《どうぶつ》をパートナーに選《えら》ぶ時代《じだい》さ！　この店《みせ》から『エデン』の住人《じゅうにん》へ、さまざまなかわいらしい動物《どうぶつ》を提供《ていきょう》したいと考《かんが》えているんだよ」

清井《きよい》は小型犬《こがたけん》を抱《だ》いたまま、健太《けんた》たちと並《なら》んでニッコリと笑《わら》う。

カシャッ!!

その瞬間《しゅんかん》、清井《きよい》のスタッフがいきなりカメラのシャッターを切《き》った。

急《きゅう》に写真《しゃしん》を撮《と》られて、健太《けんた》と美希《みき》は目《め》をパチクリさせた。

スタッフが、撮《と》った写真《しゃしん》をすぐさま清井《きよい》のSNS《エスエヌエス》アカウントに投稿《とうこう》した。

「それじゃあね。無料券《むりょうけん》をあげるから、フードコートも体験《たいけん》していって。でも、立《た》ち入《い》り禁止《きんし》のところに入《はい》るようなイタズラは、もう絶対《ぜったい》にしないでくれよ」

清井《きよい》は笑《わら》いながら、券《けん》を健太《けんた》たちに渡《わた》して、取《と》り巻《ま》きを引《ひ》き連《つ》れてそそくさと去《さ》っていった。

美希《みき》が持《も》っていたタブレットで清井《きよい》のSNS《エスエヌエス》を見《み》ると、すでに【清井《きよい》さんは子《こ》どもと動物《どうぶつ》が大好《だいす》きな、優《やさ》しい人《ひと》なんですね！】といった称賛《しょうさん》のコメントが殺到《さっとう》していた。

「すごい……私《わたし》たちと撮《と》った写真《しゃしん》、もう1万人以上《まんにんいじょう》の人《ひと》に見《み》られてるよ」

美希《みき》が思《おも》わずつぶやいた。

健太《けんた》と美希《みき》が、外《そと》にいた真実《しんじつ》と合流《ごうりゅう》してフードコートに行《い》こうとしたときだった。

「あ、キミたち、なんでここに？」

3人《にん》が声《こえ》のするほうを見《み》ると、そこには駐車場《ちゅうしゃじょう》で車《くるま》に荷物《にもつ》を積《つ》もうとしていた獣医《じゅうい》のモリーがいた。

「わあ、モリー先生《せんせい》だ！」

笑顔《えがお》になった健太《けんた》と美希《みき》は思《おも》わず声《こえ》をあげた。イルカが集団座礁《しゅうだんざしょう》した※和歌山県《わかやまけん》の浜辺《はまべ》で会《あ》ったとき以来《いらい》の再会《さいかい》だ。

「先生《せんせい》は、花森町《はなもりちょう》にも回診《かいしん》に来《こ》られるんですか？」

※前編参照《ぜんぺんさんしょう》

真実《しんじつ》がたずねた。

「うん、急病《きゅうびょう》の小型犬《こがたけん》がいて、店《みせ》から頼《たの》まれて飛《と》んできたの。最近《さいきん》は小《ちい》さくてかわいい犬《いぬ》が人気《にんき》だけど、虚弱《きょじゃく》で病気《びょうき》になりやすい子《こ》も多《おお》いからね」

「え、小型犬《こがたけん》って弱《よわ》いんですか？」

美希《みき》はモリーに聞《き》いた。

「美男美女《びなんびじょ》のアイドルやモデルを応援《おうえん》するみたいに、ペットもかわいくて小《ちい》さいのを飼《か》いたいと思《おも》う人《ひと》が多《おお》い。だけど、無理《むり》な品種改良《ひんしゅかいりょう》をする人《ひと》もいるせいで、小《ちい》さくてかわいい犬《いぬ》ってなかには体《からだ》が弱《よわ》かったり健康《けんこう》に恵《めぐ》まれていなかったりすることもあるの」

「え〜、そうなんだ……。私《わたし》も、ペットは小《ちい》さければ小《ちい》さいほどかわいいとしか考《かんが》えてなかったです」

意外《いがい》な事実《じじつ》を知《し》った美希《みき》は、驚《おどろ》きの声《こえ》をあげた。

清井《きよい》のペットショップにも呼《よ》ばれて、ときどき回診《かいしん》をしているというモリーは、ふとつぶやいた。

「最近《さいきん》、清井《きよい》さんも大変《たいへん》らしくてね。いろいろ嫌《いや》がらせを受《う》けて、会社《かいしゃ》の建物《たてもの》やトラックに頭《ず》がい骨《こつ》のマークをイタズラ書《が》きされたり」

「……頭《ず》がい骨《こつ》って、それってダークアイのしわざだ！　やっぱりアイツら信用《しんよう》できないよ。なぜ清井《きよい》さんを困《こま》らせるんだろう」

健太《けんた》は、苦虫《にがむし》をかみつぶしたような顔《かお》をした。

ハッとした表情《ひょうじょう》になったモリーが口《くち》をひらく。

「あ、そういえば、最近《さいきん》、清井《きよい》さんの会社《かいしゃ》の下請《したう》け企業《きぎょう》がある山《やま》で土砂《どしゃ》くずれが起《お》きて、人《ひと》が行方不明《ゆくえふめい》になったままなんだって……もしかして、それも」

「ダークアイのしわざ!?　そんなのイタズラじゃすまないよ！　人《ひと》の命《いのち》がかかってる」

いきどおった健太《けんた》が、声《こえ》をあげた。

「それが本当《ほんとう》だとしたら、たしかに、放《ほう》ってはおけないね」

真実《しんじつ》も口元《くちもと》に手《て》をやり、うなずいた。

モリーがタクシーを手配《てはい》してくれたので、土砂《どしゃ》くずれがあった現場《げんば》に真実《しんじつ》たちだけで向《む》かってみることにした。

後部座席《こうぶざせき》で、健太《けんた》が窓《まど》の外《そと》をのぞいていると、花森町《はなもりちょう》のはずれ、天狗山《てんぐやま》のさらに奥《おく》にある山《やま》が近《ちか》づいてきた。

「ここらあたりの山《やま》には、初《はじ》めて来《き》たよ」

「ハピネス・ピープルズの下請《したう》け企業《きぎょう》を夫婦《ふうふ》でやっていたけど、二人《ふたり》とも土砂《どしゃ》くずれで行方《ゆくえ》不明《ふめい》のままなんだって……」

タブレットで事件《じけん》のことを調《しら》べていた美希《みき》が、健太《けんた》に説明《せつめい》する。

真実《しんじつ》たちは山《やま》に到着《とうちゃく》して、タクシーも去《さ》っていった。

「なんか……すごく殺伐《さつばつ》としてるね」

美希《みき》は、山《やま》の入《い》り口《ぐち》にペットボトルなどのごみや、古《ふる》い扇風機《せんぷうき》が落《お》ちているのに気《き》づいた。

真実《しんじつ》たちは、薄暗《うすぐら》い山《やま》の中《なか》へと慎重《しんちょう》に足《あし》を踏《ふ》み入《い》れた。

山道《やまみち》は、大《おお》きな車《くるま》が進入《しんにゅう》できる道幅《みちはば》があり、たくさんのトラックのタイヤ痕《こん》があった。

「大型《おおがた》トラックが頻繁《ひんぱん》に出入《でい》りしていたようだね」

つぶやいた真実《しんじつ》の視線《しせん》が、現場検証《げんばけんしょう》が行《おこな》われたあとの立《た》ち入《い》り禁止《きんし》のテープをとらえた。

その先《さき》には、無残《むざん》な一軒家《いっけんや》の姿《すがた》が見《み》えた。土砂《どしゃ》でつぶされた家《いえ》の破片《はへん》が散乱《さんらん》し、くずれ落《お》ちた屋根《やね》が地面《じめん》に横《よこ》たわっていた。

「ダークアイがわざと土砂《どしゃ》くずれを起《お》こしたとしたら、ひどすぎるよね……」

そう言《い》って健太《けんた》は、祈《いの》るように手《て》を合《あ》わせた。

「この土《つち》の下《した》に、ご夫婦《ふうふ》がいるかもしれないね」

そう言《い》って、美希《みき》も手《て》を合《あ》わせる。

じっと土砂《どしゃ》くずれの跡《あと》を見《み》ていた真実《しんじつ》は、しゃがみこんで土《つち》をつまみ、土質《どしつ》を見《み》た。そして何《なに》かを拾《ひろ》った。土《つち》にはプラスチックの破片《はへん》や、ほかのものも交《ま》じっていた。

真実《しんじつ》は小《ちい》さな声《こえ》をもらす。

「プラスチック……ポリ袋《ぶくろ》やガラスも交《ま》じっている。割《わ》れた注射器《ちゅうしゃき》も……」

「真実《しんじつ》くんも、一緒《いっしょ》にお祈《いの》りしようよ……」

そう言《い》って健太《けんた》がやってきたが、真実《しんじつ》はそれには答《こた》えず、何《なに》やらあたりを見回《みまわ》していた。

「真実《しんじつ》くん、どうかしたの？」

「あ、あそこ」

真実《しんじつ》は、一方《いっぽう》を指《ゆび》さした。

つぶれた家《いえ》から10メートルほど離《はな》れたところに、大《おお》きなプレハブ小屋《ごや》があった。

「あの小屋《こや》はつぶれていないね……近《ちか》くに行《い》ってみよう」

そう言《い》って真実《しんじつ》は健太《けんた》と近《ちか》づいた。

小屋《こや》は、不自然《ふしぜん》に扉《とびら》が開《あ》いたままになっていた。

健太《けんた》はそっと中《なか》をのぞくと、顔《かお》をしかめてあわてて鼻《はな》を手《て》で覆《おお》った。

「すごいにおい……動物《どうぶつ》のフンや、毛《け》でいっぱいだ……。全然《ぜんぜん》掃除《そうじ》されていないね」

真実《しんじつ》は、じっと小屋《こや》の中《なか》を眺《なが》めた。小屋《こや》の中《なか》には空《から》になった無数《むすう》のおりがあって、なぜか、どの扉《とびら》も開《あ》いたままになっていた。

「ちょっと来《き》て！」

別《べつ》の場所《ばしょ》にいた美希《みき》が、大《おお》きな声《こえ》をあげた。

真実《しんじつ》と健太《けんた》が向《む》かうと、そこには、一面《いちめん》にローズマリーや、ゼラニウ

ローズマリー
シソ科《か》の低木《ていぼく》。ハーブとして使《つか》われ、肉料理《にくりょうり》などと相性《あいしょう》がいい。

ゼラニウム
テンジクアオイという別名《べつめい》もあり、明治期《めいじき》には日本《にほん》で大流行《だいりゅうこう》した。

ム、ランタナなどのハーブが広《ひろ》がっていた。

「わあ、キレイ。天狗山《てんぐやま》のソバ畑《ばたけ》の花《はな》は強烈《きょうれつ》なにおいだったけど、ここはいいにおいだなあ」

そう言《い》って健太《けんた》は鼻《はな》の穴《あな》をふくらませて、大《おお》きく息《いき》を吸《す》う。

ハーブがたくさん咲《さ》いている隅《すみ》には、大量《たいりょう》の袋《ふくろ》が積《つ》まれていた。

気《き》になった美希《みき》は、近《ちか》づいて袋《ふくろ》を確認《かくにん》する。

「これ、『重曹《じゅうそう》』って書《か》いてあるね。掃除《そうじ》するときとか、ケーキを焼《や》くときに使《つか》うものだよね？　何《なに》に使《つか》うんだろ、こんな大量《たいりょう》に」

「……健太《けんた》くん、美希《みき》さん、今日《きょう》のところはタクシーを呼《よ》んで、いったん帰《かえ》るとしよう。出直《でなお》して、ここで確《たし》かめたいことがあるんだ」

いつのまにか、真実《しんじつ》は厳《きび》しい表情《ひょうじょう》を浮《う》かべていた。

数日後《すうじつご》、真実《しんじつ》たちは改《あらた》めて、土砂《どしゃ》くずれがあった現場《げんば》に戻《もど》ってきた。今《こん》度《ど》は、真実《しんじつ》の頼《たの》みで江古田《えこた》に紹介《しょうかい》してもらったカメラメーカーの技術者《ぎじゅつしゃ》の

ランタナ
花《はな》が黄《き》から赤《あか》、濃《こ》い赤《あか》色《いろ》と変化《へんか》することから、「シチヘンゲ」という別名《べつめい》もある。

重曹《じゅうそう》
炭酸水素《たんさんすいそ》ナトリウムのこと。消臭効果《しょうしゅうこうか》のほか、ケーキなどのお菓《か》子《し》をふくらませたり、溶液《ようえき》は弱《じゃく》アルカリ性《せい》で油汚《あぶらよご》れを落《お》とす力《ちから》があるので掃除《そうじ》に使《つか》ったりする。

女性《じょせい》も一緒《いっしょ》だった。

健太《けんた》も美希《みき》も、何《なに》をするのか聞《き》かされていなかった。しかし、健太《けんた》は緊張《きんちょう》した表情《ひょうじょう》をくずさない真実《しんじつ》に、ただならぬものを感《かん》じていた。

「真実《しんじつ》くん……ここで何《なに》を確《たし》かめるの？」

「ぼくの、ある仮説《かせつ》を試《ため》したいと思《おも》っているんだ。どういう仮説《かせつ》かは、おいおい説明《せつめい》するね。それでは、すみません、よろしくお願《ねが》いします」

真実《しんじつ》が技術者《ぎじゅつしゃ》の女性《じょせい》に声《こえ》をかけると、女性《じょせい》はテキパキとケースからカメラを取《と》り出《だ》し、いろいろな角度《かくど》からハーブが植《う》えられた山《やま》を撮影《さつえい》しはじめた。

「なんだか不思議《ふしぎ》な形《かたち》のカメラだね」

「健太《けんた》くん、あれは、ハイパースペクトルカメラというんだ」

ふだん、取材《しゅざい》でカメラを扱《あつか》う美希《みき》も、耳《みみ》にしたことのない名前《なまえ》だった。

「二人《ふたり》とも、ちょっと心《こころ》して聞《き》いてほしいんだ」

そう言《い》って真実《しんじつ》は、健太《けんた》と美希《みき》をしっかりと見《み》つめた。

「ぼくはこのハーブが植《う》えられている場所《ばしょ》に、何《なに》かが埋《う》まっていると考《かんが》えた」

「何《なに》かが埋《う》まっている？　ここに？」

健太《けんた》は、ハーブが一面《いちめん》に咲《さ》いているあたりを見回《みまわ》した。

「うん。たくさんの動物《どうぶつ》のなきがらが埋《う》められている可能性《かのうせい》が高《たか》いと思《おも》う」

「え……、なきがら……って」

ショックで言葉《ことば》を失《うしな》う健太《けんた》の横《よこ》で、美希《みき》が真剣《しんけん》な表情《ひょうじょう》で真実《しんじつ》に聞《き》いた。

「なきがらって、死体《したい》ってことでしょ……。なぜそう思《おも》ったの？」

「離《はな》れた小屋《こや》では、多《おお》くの動物《どうぶつ》が不衛生《ふえいせい》に飼《か》われていた跡《あと》があった。愛情《あいじょう》を持《も》って飼《か》っていたようには、およそ見《み》えない環境《かんきょう》でね。そして近《ちか》くにはハーブばかりがたくさん植《う》えられていて、大量《たいりょう》の重曹《じゅうそう》の入《はい》った袋《ふくろ》もあった。ハーブは香《かお》りでにおいがごまかせるし、重曹《じゅうそう》は水《みず》でといて土《つち》にまくと消臭効果《しょうしゅうこうか》がある。つまり、どちらも異臭《いしゅう》を消《け》す効果《こうか》があるんだ」

「異臭《いしゅう》……動物《どうぶつ》の死体《したい》から出《で》るにおいってこと？」

美希《みき》が神妙《しんみょう》にたずねると、真実《しんじつ》はけわしい表情《ひょうじょう》でうなずいた。

「土《つち》を掘《ほ》り返《かえ》しても、腐敗《ふはい》が進《すす》んでいれば証拠《しょうこ》はつかめない。でも、今回用意《こんかいようい》したハイパースペクトルカメラは、動物《どうぶつ》のなきがらの養分《ようぶん》に含《ふく》まれる成分《せいぶん》を感知《かんち》して、ある場所《ばしょ》が光《ひか》って見《み》えるしくみになっているんだ」

「え、ある場所《ばしょ》が光《ひか》って見《み》えるの？」

疑問《ぎもん》に思《おも》った美希《みき》は真実《しんじつ》の言葉《ことば》を繰《く》り返《かえ》した。その場所《ばしょ》とは、いったいどこだろうか？

水《みず》たまり

植物《しょくぶつ》のまわり

葉《は》っぱ

動物《どうぶつ》の養分《ようぶん》はどこの部分《ぶぶん》に集《あつ》まるだろう？

解《かい》決《けつ》編《へん》

「その場所《ばしょ》とは、葉《は》っぱだよ」

真実《しんじつ》は、健太《けんた》と美希《みき》に告《つ》げた。

不思議《ふしぎ》に思《おも》った健太《けんた》がたずねる。

「……なんで葉《は》っぱが光《ひか》って見《み》えるの？」

「今日持《きょうも》ってきてもらったハイパースペクトルカメラは、『アミノ酸《さん》』が放《はな》つ光《ひかり》を検知《けんち》できる特別《とくべつ》な機械《きかい》なんだよ」[1]

「……アミノ酸《さん》って、くわしくは知《し》らないかも」と美希《みき》が言《い》う。

「アミノ酸《さん》はたんぱく質《しつ》を構成《こうせい》している要素《ようそ》でもあるんだよ。動物《どうぶつ》も人《ひと》も、体《からだ》は基本的《きほんてき》にたんぱく質《しつ》でできている。動物《どうぶつ》のなきがらがたくさん埋《う》まった土《つち》に生《は》えた植物《しょくぶつ》は、※たんぱく質《しつ》が分解《ぶんかい》されてできたアミノ酸《さん》を多《おお》く含《ふく》んでいる可能性《かのうせい》があるんだ」

そう言《い》って真実《しんじつ》は、技術者《ぎじゅつしゃ》の女性《じょせい》が撮影《さつえい》した結果《けっか》を、ノートパソコンで見《み》た。

真実《しんじつ》は小《ちい》さくため息《いき》をつき、結果《けっか》を二人《ふたり》にも見《み》せた。

アミノ酸《さん》、たんぱく質《しつ》
たんぱく質《しつ》は筋肉《きんにく》や内臓《ないぞう》をつくるもととなる物質《ぶっしつ》で、アミノ酸《さん》はたんぱく質《しつ》のもとにもなる物質《ぶっしつ》。人間《にんげん》の体内《たいない》にあるたんぱく質《しつ》は20種類《しゅるい》のアミノ酸《さん》が組《く》み合《あ》わさってつくられている。

※植物《しょくぶつ》が、動物《どうぶつ》の死体《したい》からアミノ酸《さん》をどの程度《ていど》吸収《きゅうしゅう》し、どの程度光《ていどひか》るようになるかについては、現在研究《げんざいけんきゅう》が続《つづ》いています。本作《ほんさく》では仮説《かせつ》どおりの結果《けっか》が出《で》た前提《ぜんてい》でストーリーを進《すす》めています。

1…ハイパースペクトルカメラ

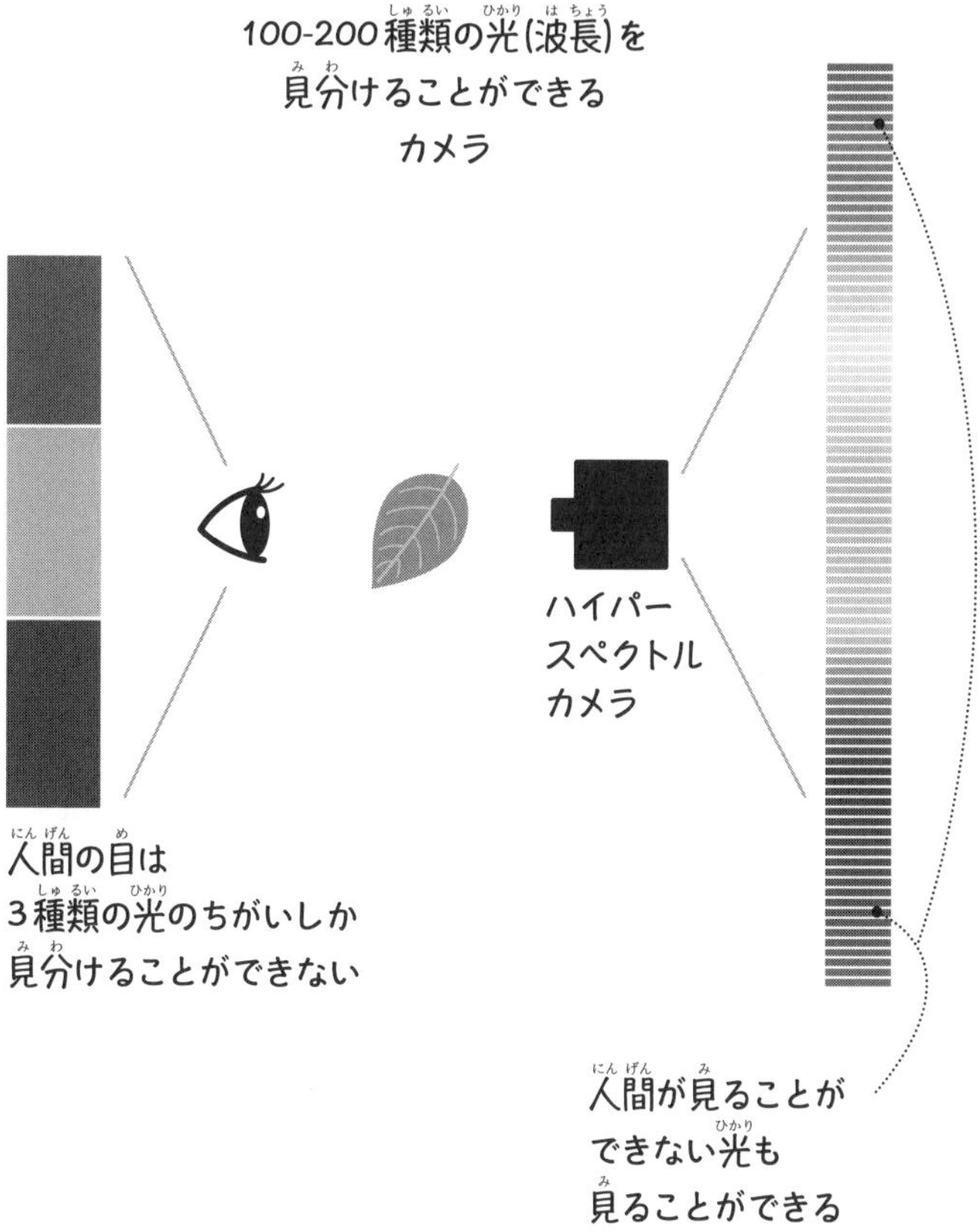

「このあたり一帯《いったい》の植物《しょくぶつ》から、アミノ酸《さん》が発《はっ》するかなり強《つよ》い光《ひかり》を検出《けんしゅつ》した。自然《しぜん》に死《し》んだ野《や》生動物《せいどうぶつ》の死体《したい》だけでは、おそらくここまで強《つよ》い光《ひかり》は出《で》ない……」

健太《けんた》と美希《みき》は、声《こえ》も出《だ》せず、美《うつく》しいハーブが咲《さ》く山《やま》の斜面《しゃめん》に立《た》ちつくした。


花森町《はなもりちょう》の喫茶店《きっさてん》で、江古田《えこた》は真実《しんじつ》たちの報告《ほうこく》を驚《おどろ》いて聞《き》いていた。

「その夫婦《ふうふ》が管理《かんり》していた山《やま》は、清井《きよい》さんの会社《かいしゃ》が出《だ》したごみやペットショップで売《う》れ残《のこ》った動物《どうぶつ》を引《ひ》き取《と》って処分《しょぶん》していた可能性《かのうせい》が高《たか》いわけか……」

江古田《えこた》は以前《いぜん》、ペット業界《ぎょうかい》について取材《しゅざい》したことがあるという。

「店《みせ》で売《う》れ残《のこ》ったペットをお金《かね》をもらって引《ひ》き受《う》ける『引《ひ》き取《と》り屋《や》』という存在《そんざい》があると聞《き》いたことがある。健康状態《けんこうじょうたい》の良《よ》いペットは転売《てんばい》されることもあるけれど、ほとんどのペットが、病気《びょうき》になったり、けがをしたりしても治療《ちりょう》してもらえず、死《し》ぬまで狭《せま》いケージに入《い》れっぱなしにされたままだというんだ……」

ペットショップで見《み》た動物《どうぶつ》たちの姿《すがた》がよみがえり、健太《けんた》は涙《なみだ》をこらえた。

（……ひどすぎるよ。ずっとペットショップの狭《せま》い場所《ばしょ》にいて、それからあんな汚《きたな》い場所《ばしょ》に押《お》し込《こ》め

られて、死《し》ぬのを待《ま》っていたなんて）

江古田《えこた》も怒《いか》りをおさえ、額《ひたい》の汗《あせ》をぬぐって真実《しんじつ》にたずねた。

「だから、ダークアイは土砂《どしゃ》くずれを起《お》こして、その夫婦《ふうふ》を罰《ばっ》したのかい？」

「いいえ、土砂《どしゃ》くずれの土《つち》は、あたりの土質《どしつ》と違《ちが》いました。産業廃棄物《さんぎょうはいきぶつ》を大量《たいりょう》に捨《す》てていたせいで地盤《じばん》がゆるくなり、大雨《おおあめ》で自然《しぜん》にくずれたのでしょう。動物《どうぶつ》が飼《か》われていた小屋《こや》は、扉《とびら》が開《あ》けられたままで、小屋内部《こやないぶ》にも土砂《どしゃ》くずれの土《つち》の跡《あと》がありました。土砂《どしゃ》くずれ以前《いぜん》に、夫婦《ふうふ》、そしておりの中《なか》の動物《どうぶつ》たちは連《つ》れ去《さ》られていたんじゃないでしょうか」

「え、大量《たいりょう》の動物《どうぶつ》もいなくなってるのかい？　それもダークアイが？」

「わかりません。とりあえずダークアイは何《なに》かしら次《つぎ》の一手《いって》を打《う》ってくるでしょう。世間《せけん》に見《み》える手《て》を……それを待《ま》つしかなさそうです」

その夜《よる》、美希《みき》から健太《けんた》と真実《しんじつ》に連絡《れんらく》があった。

「ネットでアイチューブを見《み》て！　ダークアイが突然《とつぜん》、生配信《なまはいしん》を始《はじ》めたよ」

動画《どうが》サイト、アイチューブの画面《がめん》には動物《どうぶつ》の頭《ず》がい骨《こつ》の形《かたち》をしたマスクをかぶり、つなぎ姿《すがた》の数人《すうにん》の人物《じんぶつ》が闇夜《やみよ》に立《た》っていた。

山《やま》に放置《ほうち》されたおりに閉《と》じ込《こ》められた夫婦《ふうふ》の姿《すがた》もあった。二人《ふたり》は生《い》きていたのだ。夫《おっと》である、サングラスをした中年男性《ちゅうねんだんせい》は叫《さけ》んだ。

「頼《たの》む、助《たす》けてくれ！　いったい、オレらをどうする気《き》だ」

「命《いのち》を粗末《そまつ》に扱《あつか》った者《もの》は、命《いのち》を粗末《そまつ》に扱《あつか》われても文句《もんく》は言《い》えんぞ。貴様《きさま》ら夫婦《ふうふ》が、あの山《やま》でやった悪事《あくじ》を告白《こくはく》しろ」

夫婦《ふうふ》は、管理《かんり》する山《やま》に産業廃棄物《さんぎょうはいきぶつ》を捨《す》てていたことや、ペットショップで売《う》れ残《のこ》った動物《どうぶつ》を引《ひ》き受《う》けて大量《たいりょう》に死《し》なせ、山《やま》に埋《う》めていたことも白状《はくじょう》した。

「許《ゆる》してください。したくてやったんじゃありませんよ。アタシたちは生活《せいかつ》のために、しかたなくやっただけなんです」

中年女性《ちゅうねんじょせい》は涙《なみだ》を流《なが》さんばかりに頼《たの》み込《こ》んだ。


その映像《えいぞう》は話題《わだい》を呼《よ》び、SNS《エスエヌエス》を通《つう》じて多《おお》くの人《ひと》に拡散《かくさん》された。

翌日《よくじつ》、ダークアイからの連絡《れんらく》により、行方不明《ゆくえふめい》だった夫婦《ふうふ》がとある山小屋《やまごや》で発見《はっけん》された。

夫婦《ふうふ》は疲《つか》れ果《は》てていたが、食事《しょくじ》も与《あた》えられていて、けがもなかった。

即座《そくざ》に清井《きよい》社長《しゃちょう》は動画《どうが》を発表《はっぴょう》して、目《め》に涙《なみだ》を浮《う》かべ謝罪《しゃざい》した。そしてペットショップ部門《ぶもん》を停止《ていし》し、自身《じしん》の年俸《ねんぽう》を半年間無給《はんとしかんむきゅう》にすることを発表《はっぴょう》した。

「わが社《しゃ》の取引先企業《とりひきさききぎょう》が起《お》こした事件《じけん》に、私《わたし》も心《こころ》を痛《いた》めております。世間《せけん》をお騒《さわ》がせしたことをおわびします。すべて私《わたし》のチェック不足《ぶそく》が原因《げんいん》です」


それから数日《すうじつ》がたち、花森町《はなもりちょう》のペットショップの店《みせ》じまいが行《おこな》われていた。健太《けんた》、真実《しんじつ》、美希《みき》は、江古田《えこた》とともに様子《ようす》を見《み》にきた。

「……あの動物《どうぶつ》たちはどうなっちゃうのかな？」

健太《けんた》は、不安《ふあん》な声《こえ》をもらした。江古田《えこた》は答《こた》える。

「みんな、ほかのペットショップに引《ひ》き取《と》られることになったそうだよ」

「ぼく、今《いま》までペットショップは、いっぱい動物《どうぶつ》がいて、楽《たの》しい場所《ばしょ》だとしか思《おも》っていなかったよ……」

健太《けんた》は、悔《くや》しそうに運《はこ》ばれていく動物《どうぶつ》たちを眺《なが》めた。

謎と不思議と
創刊！
ナゾノベル
まさかの結末
イラスト：佐藤おどり
ASAHI
朝日新聞出版

動物《どうぶつ》が運《はこ》び出《だ》される作業《さぎょう》を見守《みまも》っていた真実《しんじつ》も、口《くち》をひらく。

「ペットを飼《か》うことは、人間以外《にんげんいがい》の命《いのち》を理解《りかい》するためにも良《よ》いことだよ。そのためにペットショップが存在《そんざい》することも理解《りかい》できる。しかしそこで売《う》られている動物《どうぶつ》たちを、モノのように扱《あつか》う業者《ぎょうしゃ》がいることも、ちゃんと知《し》っておくべきだね」

動物《どうぶつ》たちは、運《はこ》ばれるおりの中《なか》で緊張《きんちょう》で身《み》を固《かた》くしたり、落《お》ち着《つ》かずウロウロしたりしている。

その中《なか》で、うるんだ瞳《ひとみ》で柵越《さくご》しに外《そと》を見《み》つめている犬《いぬ》がいた。

「……あ」

美希《みき》が声《こえ》をあげた。

先日《せんじつ》、健太《けんた》と美希《みき》が見《み》ていた秋田犬《あきたいぬ》が、移送《いそう》のためのトラックに運《はこ》ばれていくのが見《み》えたのだ。

「あの犬《いぬ》がどうかしたのかい？」

「あのコ、すごくかわいい秋田犬《あきたいぬ》なんです。でも全然《ぜんぜん》売《う》れなくてペット

うるんだ瞳《ひとみ》
犬《いぬ》は、愛着《あいちゃく》を持《も》った人間《にんげん》を見《み》つめると目《め》がうるむという。人間《にんげん》に甘《あま》えたいときも目《め》がうるむそうだ。

ショップで大《おお》きくなっちゃったんだって」

健太《けんた》は、江古田《えこた》に答《こた》えた。

それを聞《き》いた江古田《えこた》は駆《か》け寄《よ》って、秋田犬《あきたいぬ》を運《はこ》ぶ人《ひと》に何《なに》やら話《はな》しかけた。

「どうしたんだろ？」

美希《みき》は首《くび》をかしげて、遠《とお》くから様子《ようす》を眺《なが》めた。

しばらくして、江古田《えこた》が健太《けんた》たちのもとへと戻《もど》ってきた。

「あのコを、うちで飼《か》うことにした。あとで手続《てつづ》きするよ」

「え、江古田《えこた》さんがあのコを!?」

健太《けんた》は目《め》を丸《まる》くして驚《おどろ》いた。

「ああ、あのコは今日《きょう》から私《わたし》の家族《かぞく》だ。マレーシアで死《し》んだ娘《むすめ》も、とても動物《どうぶつ》が好《す》きだった……。娘《むすめ》もきっと賛成《さんせい》してくれると思《おも》う。キミたちも、いつでも私《わたし》の家《いえ》に遊《あそ》びにきてよ」

「やった!!　江古田《えこた》さん、ありがとう!!」

そう言《い》って健太《けんた》と、美希《みき》は手《て》をとりあって喜《よろこ》んだ。

真実《しんじつ》もほほえんだ。だが、脳裏《のうり》にある疑問《ぎもん》がよぎり、つぶやいた。

「ダークアイに拉致《らち》された夫婦《ふうふ》は見《み》つかった。だが、小屋《こや》に収容《しゅうよう》されていた動物《どうぶつ》たちはいったいどこへ……」

真実《しんじつ》は、ペットショップのスタッフに声《こえ》をかけた。

「一《ひと》つおたずねしたいのですが、獣医《じゅうい》のモリー先生《せんせい》は、このペットショップに動物《どうぶつ》を診《み》によく来《こ》られていたのですか？」

「モリー先生《せんせい》?? うちは、そんな名前《なまえ》の獣医《じゅうい》とは取引《とりひき》なかったですよ。何《なに》しろ、うちにはもともと、専属《せんぞく》の獣医《じゅうい》がいて、外部《がいぶ》の人間《にんげん》を呼《よ》ぶことはないですから」

そう言《い》ってスタッフは、再《ふたた》び作業《さぎょう》に戻《もど》った。

真実《しんじつ》は眼鏡《めがね》をクイッとあげて、じっと考《かんが》えこんだ。

北海道《ほっかいどう》の、かつて炭鉱《たんこう》で栄《さか》えたが廃村《はいそん》になった村《むら》。今《いま》は誰《だれ》も住《す》んでおらず、古《ふる》びた団地《だんち》も家《いえ》もそのまま残《のこ》っている。そこに看板《かんばん》もない、大《おお》きな農場《のうじょう》があった。

そこには飼育員《しいくいん》がやってきて世話《せわ》をし、犬《いぬ》や猫《ねこ》からハムスターやウサギなどの小動物《しょうどうぶつ》までがいきいきとくらしている。みんな年老《としお》いていたり、病気《びょうき》を抱《かか》えていたりする動物《どうぶつ》たちだ。

農場《のうじょう》の上空《じょうくう》には、タカが自由《じゆう》に旋回《せんかい》していた。

雲《くも》の向《む》こうからセスナ機《き》がやってきて、農場《のうじょう》に着陸《ちゃくりく》する。

待機《たいき》していたつなぎ姿《すがた》のスタッフたちが、セスナ機《き》からおりに入《はい》った動物《どうぶつ》たちを運《はこ》び出《だ》す。

ペットショップで売《う》れ残《のこ》り、引《ひ》き取《と》り屋《や》に渡《わた》って劣悪《れつあく》な環境《かんきょう》で飼《か》われたり、飼育放棄《しいくほうき》されたりした動物《どうぶつ》たちだ。

一人《ひとり》のパイロットが操縦席《そうじゅうせき》から降《お》りてくると、空《そら》にいたタカが舞《ま》い飛《と》んできて、手《て》に止《と》まった。

パイロットがサングラスをとると、鋭《するど》い目《め》つきの女性《じょせい》が現《あらわ》れた。

それは、あの獣医師《じゅういし》、モリーだった……。

9

SCIENCE TRICK DATA FILE

科学《かがく》トリック データファイル

見《み》えないものも見《み》えるように

「ハイパースペクトルカメラ」は、人間《にんげん》の目《め》では区別《くべつ》がつかない細《こま》かな光《ひかり》の違《ちが》いを認識《にんしき》できるカメラです（111ページ参照《さんしょう》）。目《め》ではまったく見分《みわ》けがつかない物質《ぶっしつ》も、このカメラを使《つか》うことにより、見分《みわ》けがつくようになります。そのため、様々《さまざま》な検《けん》査《さ》や調査《ちょうさ》に使《つか》われています。

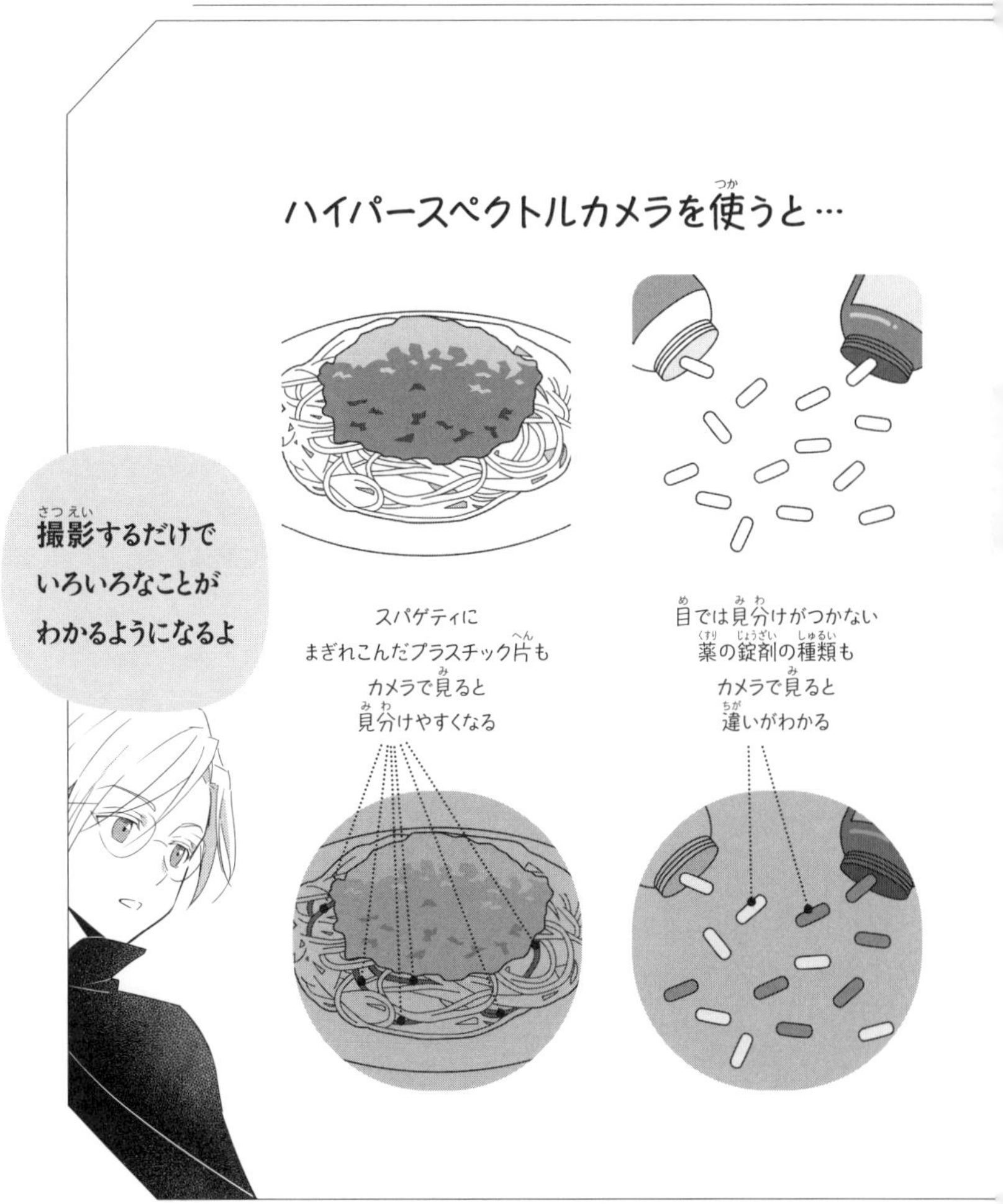
ハイパースペクトルカメラを使《つか》うと…
撮影《さつえい》するだけで
いろいろなことが
わかるようになるよ
スパゲティに
まぎれこんだプラスチック片《へん》も
カメラで見《み》ると
見分《みわ》けやすくなる
目《め》では見分《みわ》けがつかない
薬《くすり》の錠剤《じょうざい》の種類《しゅるい》も
カメラで見《み》ると
違《ちが》いがわかる

しいが、ペットとなる

や猫《ねこ》に対《たい》して飼育放棄《しいくほうき》に

等《ひと》しい扱《あつか》いをする飼

毎朝新聞

化

決《けつ》！

超常現象ハンター

花森町《はなもりちょう》のはずれの山《やま》で起《お》きた土砂《どしゃ》くずれで、ある夫婦《ふうふ》が行方不明《ゆくえふめい》になったと知《し》り、現地《げんち》に向《む》かった。夫婦《ふうふ》は山《やま》で、親会社《おやがいしゃ》の「ハピネス・ピープルズ」が出《だ》した産業廃棄物《さんぎょうはいきぶつ》を引《ひ》き取《と》って埋《う》めたり、ペットショップで売《う》れ残《のこ》った動物《どうぶつ》を引《ひ》き取《と》って劣悪《れつあく》な環境《かんきょう》で飼育《しいく》し、大《たい》量《りょう》に死《し》なせて埋《う》めたりしていた。夫婦《ふうふ》は動画《どうが》で自《じ》分《ぶん》たちのやってきたことを告白《こくはく》。再生回数《さいせいかいすう》は1万《まん》回《かい》を超《こ》えている。

日本《にほん》では、人《ひと》と動物《どうぶつ》が出合《であ》える貴重《きちょう》な場所《ばしょ》と

ペットたちが押《お》し込《こ》められていたおり。不衛生《ふえいせい》な状態《じょうたい》だった

第九回《だいきゅうかい》 劣悪《れつあく》な環境《かんきょう》で多《おお》くのペットが死《し》ぬ

してペットショップが存《そん》在《ざい》している。しかし、売《う》れ残《のこ》ってしまったペットの扱《あつか》いをどうするかや、人気《にんき》のある小型種《こがたしゅ》を生《う》み出《だ》すため無理《むり》な交配《こうはい》をして、その結果病弱《けっかびょうじゃく》な個体《こたい》が増《ふ》えてしまうなど、ペット業界《ぎょうかい》にまつわる問《もん》題点《だいてん》も数多《かずおお》く指摘《してき》されている。

日本《にほん》の絶滅危惧《ぜつめつきぐ》動植物《どうしょくぶつ》

秋《あき》から冬《ふゆ》の風物詩《ふうぶつし》であるミノムシは、オオミノガの幼虫《ようちゅう》だ。しかし中国《ちゅうごく》からミノムシを食《た》べるヤドリバエが入《はい》ってきたため、一部地域《いちぶちいき》で絶滅危惧《ぜつめつきぐ》種《しゅ》に指定《してい》されている。（M・A）

になって

の犬《いぬ》や猫《ねこ》

分《ぶん》なエサ

られず、

なところ

ることと

飼《か》うと

私《わたし》、動物《どうぶつ》をいじめる人《ひと》がいちばん許《ゆる》せないなあ。

ホントだよ。動物《どうぶつ》を飼《か》ったり、世話《せわ》したりした経験《けいけん》があれば、動物《どうぶつ》にも命《いのち》があって、感情《かんじょう》があるってわかるし、ひどいことなんてできないと思《おも》うんだけどなあ……。

でも、飼《か》ったペットを捨《す》てる人《ひと》も多《おお》いよね。私《わたし》、河川敷《かせんじき》で、捨《す》てられたウサギを見《み》かけたことがある。可哀想《かわいそう》だったなあ。

えー、ひどい！　そんなところで生《い》きていけるわけないのに……。

その国《くに》がいい国《くに》かどうかを知《し》るには、動物《どうぶつ》の扱《あつか》い方《かた》を見《み》ればわかる、という言葉《ことば》があるね。

えっと……言葉《ことば》をもたない動物《どうぶつ》にもちゃんとやさしくできる社会《しゃかい》は、人間《にんげん》にとってもいい社会《しゃかい》という意味《いみ》かな？

なるほどなあ。人間《にんげん》も動物《どうぶつ》も平和《へいわ》に暮《く》らせる社会《しゃかい》が実現《じつげん》したらいいなあ。

ペットショップで出合《であ》った秋田犬《あきたいぬ》にはムクと名《な》づけたんだよ。

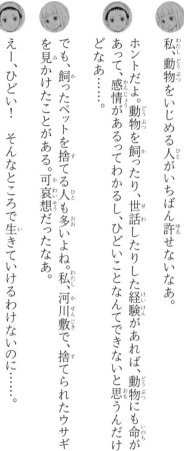

ミイラの呪《のろ》い!?

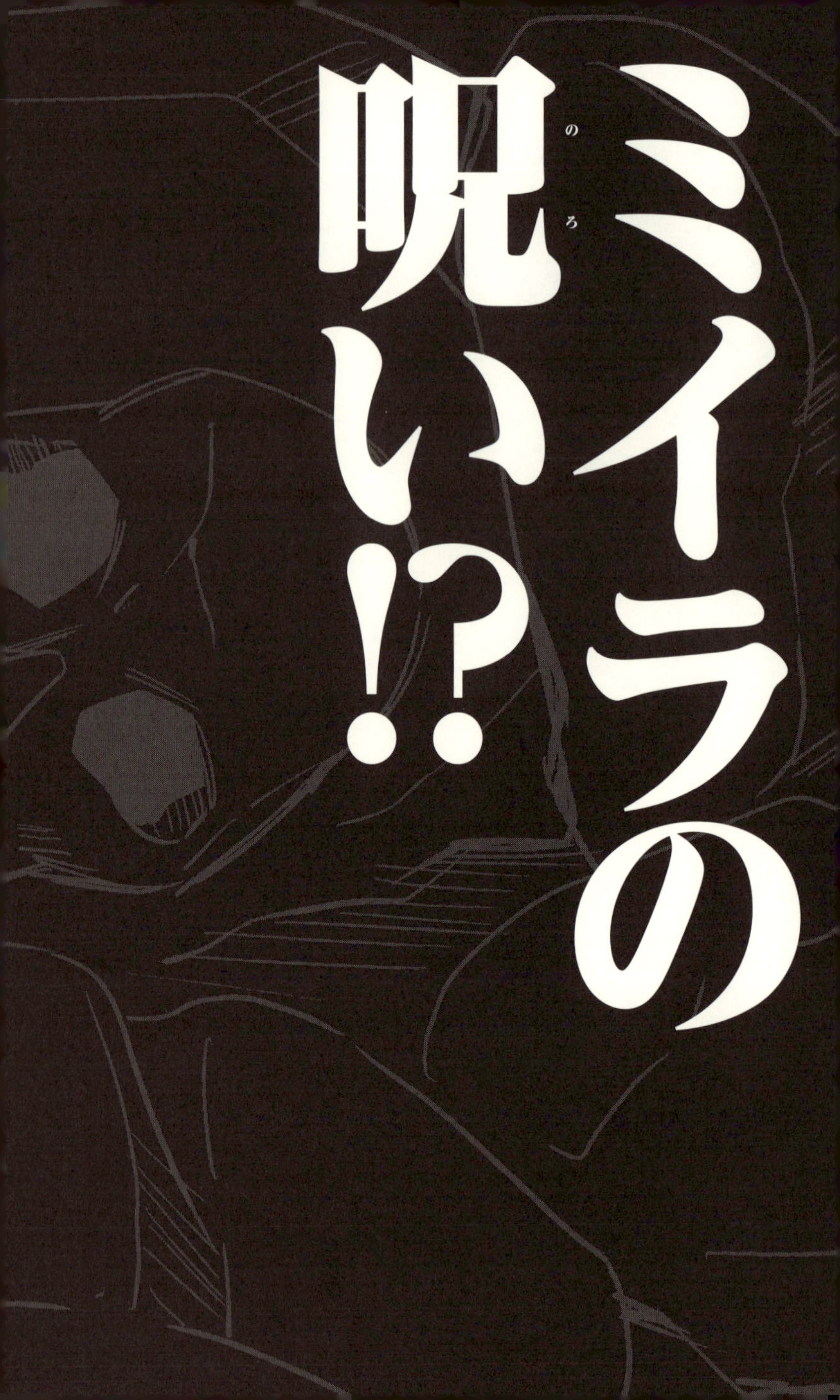

超《ちょう》・自《し》然《ぜん》現《げん》象《しょう》 10

古《こ》墳《ふん》に仕《し》掛《か》けられた罠《わな》

花《はな》森《もり》町《ちょう》

ダークアイが新《あら》たな予言詩《よげんし》をネット上《じょう》に発表《はっぴょう》した。

古《いにしえ》の王《おう》が目覚《めざ》めしとき、
目《め》に見《み》えぬ災《わざわ》いが、
多《おお》くの人々《ひとびと》に降《ふ》りかかるだろう

それはニュースでも放送《ほうそう》され、たちまち日本中《にほんじゅう》に伝《つた》わった。

真実《しんじつ》、健太《けんた》、美希《みき》の3人《にん》は、江古田《えこた》に呼《よ》ばれ、新聞社《しんぶんしゃ》の支社《ししゃ》にいた。

「家《いえ》でも学校《がっこう》でも、みんなダークアイの話題《わだい》でもちきりだったよ。日本中《にほんじゅう》を騒《さわ》がせて、今度《こんど》は何《なに》をするつもりなんだろう?」

健太《けんた》が言《い》うと、江古田《えこた》は机《つくえ》の上《うえ》に花森町《はなもりちょう》の地図《ちず》を広《ひろ》げた。

「そのことだけどね。気《き》になる情報《じょうほう》が入《はい》ったんだ。町《まち》の西《にし》のはずれにある丘《おか》で、工事中《こうじちゅう》に大《たい》変《へん》なものが見《み》つかったらしい。その証拠《しょうこ》に、この数日《すうじつ》、工事《こうじ》はストップしていてね」

「丘《おか》で見《み》つかったものって何《なに》かしら？　もしかして、古代《こだい》の遺跡《いせき》とか？」

美希《みき》がつぶやくと、健太《けんた》は「あっ！」と声《こえ》をあげた。

「それってまさか、予言詩《よげんし》に出《で》てきた『古《いにしえ》の王《おう》』!?」

江古田《えこた》が腕《うで》を組《く》んで「うーむ」とうなる。

「今《いま》はまだわからん。このことは、ほかの記者《きしゃ》たちにも内緒《ないしょ》だ。まずは今晩《こんばん》、私《わたし》が調《しら》べに行《い》こうと思《おも》ってね」

真実《しんじつ》は地図《ちず》から顔《かお》をあげると、江古田《えこた》をまっすぐ見《み》つめた。

「ダークアイの動《うご》きが気《き》になります。ぼくたちも連《つ》れていってください」

健太《けんた》と美希《みき》も、真実《しんじつ》の言葉《ことば》に続《つづ》く。

「ぼくも行《い》きたい！　行《い》きます！」

「スクープがありそうって聞《き》いたら、行《い》かないワケにいかないでしょ！」

江古田《えこた》は3人《にん》の顔《かお》をまじまじと見《み》つめ、肩《かた》をすくめた。

「やれやれ。うちの若《わか》いもんよりいい目《め》をしとる。困《こま》ったもんだ」

その夜《よる》、江古田《えこた》と真実《しんじつ》たち3人《にん》は、町《まち》はずれの丘《おか》へと向《む》かった。

あたりは、目隠《めかく》しをするようにブルーシートで囲《かこ》まれ、「立《た》ち入《い》り禁止《きんし》」と書《か》かれた黄色《きいろ》いテープが張《は》りめぐらされている。

シートをくぐると、丘《おか》の中腹《ちゅうふく》の土《つち》が大《おお》きくえぐり取《と》られていた。

「あっ！　あれは何《なに》!?」

土《つち》がえぐられた部分《ぶぶん》の中央《ちゅうおう》に、巨大《きょだい》な岩《いわ》が姿《すがた》を現《あらわ》していた。

四角《しかく》い岩《いわ》が組《く》み合《あ》わされ、トンネルの入《い》り口《ぐち》のような形《かたち》をしている。

江古田《えこた》と目《め》を見合《みあ》わせてうなずくと、真実《しんじつ》は言《い》った。

「あれは古墳《こふん》だ。古墳《こふん》の入《い》り口《ぐち》だよ」

真実《しんじつ》たちは、ゆっくりと入《い》り口《ぐち》へ近《ちか》づいた。

真《ま》っ暗《くら》な闇《やみ》に包《つつ》まれた古墳《こふん》の奥《おく》をのぞいて、健太《けんた》がつぶやく。

「古墳《こふん》って、昔《むかし》の人《ひと》のお墓《はか》だよね？　おばけとか出《で》ないよね？」

「それは保証《ほしょう》するよ。さあ、中《なか》を調《しら》べてみよう」

真実《しんじつ》はライトを持《も》って、古墳《こふん》の中《なか》に足《あし》を踏《ふ》み入《い》れた。

古墳《こふん》
土《つち》を高《たか》く盛《も》り上《あ》げ、その中《なか》に遺体《いたい》をおさめた古代《こだい》の墓《はか》。特《とく》に日本《にほん》では3世紀後半《せいきこうはん》から7世《せい》紀《き》ごろに造《つく》られたものを指《さ》し、この時代《じだい》を古墳時代《こふんじだい》という。前方後円墳《ぜんぽうこうえんふん》をはじめさまざまな形《かたち》がある（写真《しゃしん》は奈《な》良県《らけん》の高松塚古墳《たかまつづかこふん》）。

岩《いわ》を積《つ》んで作《つく》られた、狭《せま》い通路《つうろ》をかがんで進《すす》む。

10メートルほど進《すす》むと、広《ひろ》い部屋《へや》に出《で》た。

その真《ま》ん中《なか》に、大《おお》きな四角《しかく》い箱《はこ》が置《お》かれている。

「これは石《いし》で作《つく》られた棺桶《かんおけ》、『石棺《せっかん》』だ。この中《なか》に大昔《おおむかし》の人《ひと》が眠《ねむ》っているんだ」

江古田《えこた》が言《い》うと、健太《けんた》はゴクリとつばをのんだ。

「もしかして、これがダークアイの予言詩《よげんし》にあった、古《いにしえ》の王《おう》……!?」

そのときだった。

バサバサバサバサッ！

何《なに》かが、激《はげ》しく羽《は》ばたく音《おと》がした。

目《め》の前《まえ》を、無数《むすう》の黒《くろ》い影《かげ》が飛《と》び交《か》っている。

「うひ〜っ！　これは……コウモリだ〜っ！」

「健太《けんた》くん、早《はや》くしゃがむんだ！」

真実《しんじつ》と江古田《えこた》はすばやくしゃがんでコウモリをかわした。

だが、健太《けんた》と美希《みき》は、コウモリの群《む》れに囲《かこ》まれてしまった。

「わ〜〜っ！ 助《たす》けて〜っ！」

バタバタと手《て》を振《ふ》りまわす健《けん》太《た》と美《み》希《き》。

あわてた二人《ふたり》はバランスをくずしてよろめいた。

「キャ〜〜ッ！」

石棺《せっかん》の上《うえ》に倒《たお》れこむ健《けん》太《た》と美《み》希《き》。

その振動《しんどう》で、棺《ひつぎ》の側面《そくめん》の岩《いわ》が倒《たお》れる。

ゴゴゴン！

次《つぎ》の瞬間《しゅんかん》、床《ゆか》に落《お》とした健《けん》太《た》のライトが、恐《おそ》ろしいものを照《て》らしだした。

それは、くずれた棺《ひつぎ》から姿《すがた》を現《あらわ》した、ミイラの顔《かお》だった。

干《ひ》からびて、ほとんど骨《ほね》だけになったその顔《かお》。

ポッカリと穴《あな》が開《あ》いた両眼《りょうがん》で、まっすぐに健《けん》太《た》を見《み》つめている。

「うひゃあああ〜〜！ 今度《こんど》はミイラ〜ッ！」

そのとき、あたりに大《おお》きな声《こえ》が響《ひび》いた。

「何《なに》をしている！」

江古田《えこた》がライトで照《て》らすと、そこには、清井社長《きよいしゃちょう》が立《た》っていた。

その後《うし》ろには、作業服《さぎょうふく》を着《き》たスタッフたちもいる。

「清井社長《きよいしゃちょう》! どうしてここに!?」

驚《おどろ》いて美希《みき》が声《こえ》をあげると、清井《きよい》は目《め》を細《ほそ》めて一同《いちどう》を見回《みまわ》した。

「誰《だれ》かと思《おも》ったら、またキミたちか。ここは『エデン・プロジェクト』を花森町《はなもりちょう》に広《ひろ》げるための予定地《よていち》でね。キミたちこそ、どんな理由《りゆう》でここに?」

「ぼくたち、ダークアイの予言詩《よげんし》が気《き》になって、ここを調《しら》べにきたんです」

真実《しんじつ》が事情《じじょう》を伝《つた》えると、清井《きよい》はうなずいた。

「そうだったのか。私《わたし》も同《おな》じだよ。ただのイタズラだとは思《おも》うが、念《ねん》のため、この古墳《こふん》を専《せん》門家《もんか》のチームに調《しら》べてもらおうと思《おも》ってね。さあ、あとは彼《かれ》らにまかせよう」


その翌日《よくじつ》。

新聞社《しんぶんしゃ》の支社《ししゃ》で、健太《けんた》と美希《みき》は、清井《きよい》にもらったまんじゅうを食《た》べていた。

「やっぱり清井社長《きよいしゃちょう》って話《はな》せる人《ひと》よね~。貴重《きちょう》な古墳《こふん》を守《まも》るためなら、『エデン・プロジェ

ク卜』を花森町《はなもりちょう》に広《ひろ》める計画《けいかく》は見直《みなお》さないといけないって」

「しかも、みんなで食《た》べてって、おみやげまでくれたしね。うん、おいしい! 真実《しんじつ》くんも一《ひと》つどう?」

「ぼくは和菓子《わがし》よりも洋菓子《ようがし》派《は》だからね。遠慮《えんりょ》しておくよ」

そのとき、デスクの上《うえ》の電話《でんわ》が鳴《な》った。

「はい、江古田《えこた》です。はい……なんだって……!?」

受話器《じゅわき》を取《と》った江古田《えこた》の表情《ひょうじょう》が、みるみるけわしくなっていく。

「何《なに》かあったんですか?」

「まだ極秘《ごくひ》の情報《じょうほう》だが、夕《ゆう》べ、古墳《こふん》のミイラを持《も》ち帰《かえ》った研究所《けんきゅうしょ》で、スタッフが腹痛《ふくつう》などを訴《うった》えて苦《くる》しみはじめたそうだ」

健太《けんた》は、口《くち》の中《なか》のまんじゅうを、あわててのみ込《こ》んだ。

「ええっ!? これって、ダークアイの予言詩《よげんし》と同《おな》じじゃない!? 【古《いにしえ》の王《おう》が目覚《めざ》めしとき、目《め》に見《み》えぬ災《わざわ》いが、多《おお》くの人々《ひとびと》に降《ふ》りかかるだろう】」

「目《め》に見《み》えぬ災《わざわ》い……もしや、古墳《こふん》に閉《と》じ込《こ》められていた、未知《みち》のウイルスが広《ひろ》まったとか？」

江古田《えこた》が顔《かお》をしかめると、真実《しんじつ》は口元《くちもと》に手《て》を当《あ》てて考《かんが》えた。

「地球《ちきゅう》には、人《ひと》に感染《かんせん》する可能性《かのうせい》のある未知《みち》のウイルスが、最大《さいだい》85万種類《まんしゅるい》あるといわれています。そのうちの多《おお》くは、動物《どうぶつ》に宿《やど》っている。あの古墳《こふん》の中《なか》にはコウモリもいた。その可能性《かのうせい》がないとは言《い》い切《き》れませんね」

そのとき、美希《みき》が「あっ！」と声《こえ》をあげ、タブレットの画面《がめん》を向《む》けた。

「見《み》て！　ダークアイから、新《あたら》しいメッセージが発表《はっぴょう》されてる」

タブレットの画面《がめん》には、古代《こだい》の石板《せきばん》が浮《う》かび上《あ》がっていた。

石板《せきばん》が削《けず》られるように、白《しろ》い文字《もじ》が刻《きざ》まれていく。

予言《よげん》は現実《げんじつ》のものになった。
花森町《はなもりちょう》の研究所《けんきゅうしょ》で
恐《おそ》ろしい感染《かんせん》が広《ひろ》がりはじめた

未知《みち》のウイルス
2020年《ねん》、世界各国《せかいかっこく》の研究成果《けんきゅうせいか》をまとめた報告書《ほうこくしょ》によると、新型《しんがた》コロナウイルスやエボラ出血熱《しゅっけつねつ》といった感染《かんせん》症《しょう》の多《おお》くは動物《どうぶつ》がもつ病原体《びょうげんたい》が原因《げんいん》で、人間《にんげん》に感染《かんせん》する可能性《かのうせい》のある未知《みち》のウイルスは最《さい》大《だい》85万種類《まんしゅるい》存在《そんざい》すると推定《すいてい》されるという。

「そんなバカな!? どうしてダークアイがこのことを知《し》っているんだ!?」

江古田《えこた》がつぶやくと、真実《しんじつ》は立《た》ち上《あ》がって言《い》った。

「何《なに》が起《お》きているのか、研究所《けんきゅうしょ》に行《い》って調《しら》べましょう」


江古田《えこた》の運転《うんてん》する車《くるま》で、研究所《けんきゅうしょ》に到着《とうちゃく》した真実《しんじつ》たち。

正面《しょうめん》の入《い》り口《ぐち》は、ダークアイのメッセージを見《み》たマスコミで大騒《おおさわ》ぎになっていた。

「これじゃあ、中《なか》に入《はい》れないよ!」

健太《けんた》が言《い》うと、江古田《えこた》はハンドルを切《き》り、車《くるま》を裏口《うらぐち》に回《まわ》した。

「この研究所《けんきゅうしょ》には友人《ゆうじん》がいてね。さっき、裏口《うらぐち》のカギを開《あ》けておいてくれるよう、頼《たの》んでおいた。あとは打《う》ち合《あ》わせどおりだ。くれぐれも注意《ちゅうい》してくれよ」

そう言《い》うと、江古田《えこた》は、3人分《にんぶん》の防護服《ぼうごふく》を真実《しんじつ》に手渡《てわた》した。


「みなさん体調《たいちょう》はいかがですか～? どこか痛《いた》いところはないですか～?」

防護服《ぼうごふく》を着《き》た美希《みき》が、看護師《かんごし》のフリをして、研究所内《けんきゅうしょない》のベッドを回《まわ》っている。

「お熱《ねつ》は何度《なんど》ですか？　まもなく先生《せんせい》が来《き》ますから、もう少《すこ》しの辛抱《しんぼう》ですよ」

美希《みき》は、患者《かんじゃ》の一人《ひとり》ひとりから聞《き》き取《と》った内容《ないよう》を、細《こま》かくメモしていく。

「うは～。あんなやさしい笑顔《えがお》、ぼくには見《み》せてくれたことないよ」

窓越《まどご》しに、美希《みき》の様子《ようす》をのぞいた健太《けんた》がため息《いき》をつく。

「ぼくたちはほかの階《かい》を調《しら》べよう。ぼくは3階《かい》。健太《けんた》くんは2階《かい》を頼《たの》む」

30分後《ぷんご》。

真実《しんじつ》たちは、人気《ひとけ》のない廊下《ろうか》で合流《ごうりゅう》した。

美希《みき》によれば、多《おお》くのスタッフに、下痢《げり》や吐《は》き気《け》などの症状《しょうじょう》があるという。

「なかには、赤《あか》いおしっこが出《で》るという人《ひと》もいたわ」

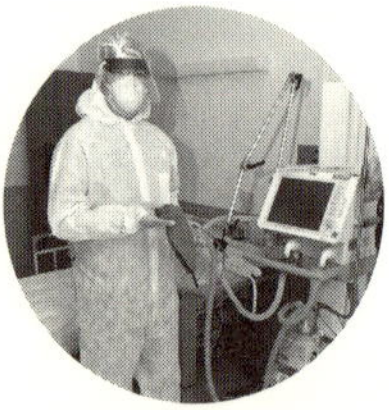

防護服《ぼうごふく》
ウイルスや細菌《さいきん》、化学《かがく》薬品《やくひん》、放射性物質《ほうしゃせいぶっしつ》などが体《からだ》についたり体内《たいない》に入《はい》ったりすることを防《ふせ》ぐための服《ふく》。

「赤《あか》いおしっこ!? それってやっぱりミイラの呪《のろ》いなんじゃゃ……!?」

おびえる健太《けんた》。しかし、真実《しんじつ》は冷静《れいせい》な声《こえ》で言《い》った。

「気《き》になることがある。ミイラの調査《ちょうさ》は、しっかりと隔離《かくり》された研究室《けんきゅうしつ》で行《おこな》われていた。それなのに、調査《ちょうさ》に関《かか》わりのない人《ひと》にまで症状《しょうじょう》が広《ひろ》がっている」

メモを見返《みかえ》していた美希《みき》は、何《なに》かに気《き》づいてハッとした。

「あ! そういえば、症状《しょうじょう》が出《で》た人《ひと》に共通《きょうつう》することがあったの。それはお茶《ちゃ》よ。みんな、研《けん》究所《きゅうしょ》に置《お》かれた、お茶《ちゃ》サーバーのお茶《ちゃ》を飲《の》んでいたの」

「お茶《ちゃ》……?」

真実《しんじつ》は、廊下《ろうか》に置《お》かれたお茶《ちゃ》サーバーを見《み》つめた。

「そうか……。もしかしたら、未知《みち》のウイルスが原因《げんいん》じゃないのかも……」

「それってどういうことなの? 真実《しんじつ》くん」

眉《まゆ》をひそめて健太《けんた》が聞《き》き返《かえ》す。

「誰《だれ》かがお茶《ちゃ》に何《なに》かを入《い》れたのかもしれない。例《たと》えば、下剤《げざい》のようなものをね」

「ええっ!? でもそんなこと、誰《だれ》が何《なん》のために!? ……ああっ……うぐっ!」

突然《とつぜん》の腹痛《ふくつう》。健太《けんた》はおなかを抱《かか》え、トイレへ駆《か》け込《こ》んだ。

「なんだか、私《わたし》もおなかが痛《いた》くなってきたわ。いたた……」

苦《くる》しそうに言《い》うと、美希《みき》もおなかを押《お》さえ、廊下《ろうか》にしゃがみこんだ。

「健太《けんた》くん、美希《みき》さん……!?」

真実《しんじつ》が心配《しんぱい》そうに言《い》うと、健太《けんた》が青《あお》ざめた顔《かお》でトイレから戻《もど》ってきた。

「大変《たいへん》だよ~! ぼくのおしっこも、真《ま》っ赤《か》だったんだ……!」

その言葉《ことば》に、真実《しんじつ》は驚《おどろ》いた。

「健太《けんた》くんたちは、ここのお茶《ちゃ》を飲《の》んでないのに、いったいどうして……!?」

「きっとぼくたちも、あの古墳《こふん》でミイラを見《み》たから呪《のろ》われたんだ~! ミイラの呪《のろ》いで死《し》んじゃうかもしれないよ~!」

涙目《なみだめ》で叫《さけ》ぶ健太《けんた》。

次《つぎ》の瞬間《しゅんかん》、真実《しんじつ》は、廊下《ろうか》の先《さき》に人《ひと》の気配《けはい》を感《かん》じた。

「隠《かく》れて! 誰《だれ》か来《く》る!」

見《み》ると、防護服《ぼうごふく》を着《き》た人影《ひとかげ》が、廊下《ろうか》のお茶《ちゃ》サーバーに近《ちか》づいていく。

そして、ポケットから赤《あか》い液体《えきたい》が入《はい》った小《ちい》さな瓶《びん》を取《と》り出《だ》した。

「あっ！　もしかして、あれって下剤《げざい》!?」

健太《けんた》が声《こえ》をひそめてつぶやく。

3人《にん》が物影《ものかげ》から見《み》つめるなか、防護服《ぼうごふく》を着《き》た人影《ひとかげ》は、お茶《ちゃ》サーバーのフタを開《あ》け、中《なか》のお茶《ちゃ》が入《はい》ったタンクに赤《あか》い液体《えきたい》を注《そそ》いだ。

美希《みき》がハッと息《いき》をのむ。

「わかった！　あの人《ひと》きっとダークアイよ！　ミイラの呪《のろ》いが本当《ほんとう》にあるって思《おも》わせるために、研究所《けんきゅうしょ》のお茶《ちゃ》に下剤《げざい》を混《ま》ぜていたんだわ！」

3人《にん》の気配《けはい》に気《き》づいたのか、防護服《ぼうごふく》を着《き》た人物《じんぶつ》がハッと振《ふ》り向《む》いた。

そして、次《つぎ》の瞬間《しゅんかん》、ダッと逃《に》げ出《だ》した。

「追《お》いかけよう！」

走《はし》り出《だ》す真実《しんじつ》たち。

前《まえ》を走《はし》る防護服《ぼうごふく》の人物《じんぶつ》のポケットから、黒《くろ》いカードがパラパラと落《お》ちる。

そこには、「ダークアイ」のシンボルマークの頭《ず》がい骨《こつ》が描《えが》かれていた。

「やっぱり! 間違《まちが》いないわ!」

腹痛《ふくつう》のため、苦《くる》しそうに走《はし》りながら、美希《みき》がトランシーバーを取《と》り出《だ》す。

「江古田《えこた》さん! ダークアイを見《み》つけたの! 裏口《うらぐち》に向《む》かってるわ!」

防護服《ぼうごふく》の人物《じんぶつ》は、研究所《けんきゅうしょ》から飛《と》び出《だ》すとバイクにまたがり、走《はし》り去《さ》った。

続《つづ》けて、江古田《えこた》が運転《うんてん》する車《くるま》が走《はし》り込《こ》んでくる。

「早《はや》く乗《の》れ、追《お》いかけるぞ!」

ドアが閉《し》まると同時《どうじ》にアクセルを踏《ふ》み込《こ》む江古田《えこた》。

グオーン!

甲高《かんだか》いエンジン音《おと》を鳴《な》らし、車《くるま》が急発進《きゅうはっしん》する。

バイクが向《む》かったのは、ごみ収集車《しゅうしゅうしゃ》が並《なら》ぶ、ごみ焼却場《しょうきゃくじょう》の駐車場《ちゅうしゃじょう》だった。

かすかな月明《つきあ》かりの中《なか》、ブーンとハエが舞《ま》う音《おと》が、あちこちから聞《き》こえる。

「どうしてこんなところに……? 注意《ちゅうい》して。何《なに》かの罠《わな》かもしれない」

そう言《い》って慎重《しんちょう》に車《くるま》から降《お》りる真実《しんじつ》に、健太《けんた》たちも続《つづ》く。

真実《しんじつ》は、駐車場《ちゅうしゃじょう》の真《ま》ん中《なか》で待《ま》つ防護服《ぼうごふく》の人物《じんぶつ》にゆっくりと近《ちか》づいた。

「あなたが落《お》としたこのカード。あなたは、ダークアイのメンバーですね」

防護服《ぼうごふく》の人物《じんぶつ》は、マスクでくぐもった声《こえ》で答《こた》えた。

「……そうだ。私《わたし》はダークアイ」

「なぜ研究所《けんきゅうしょ》にいたんですか？　そして、なぜこの場所《ばしょ》にぼくたちを連《つ》れてきたんですか？」

「キミたちに、私《わたし》たちダークアイの仲間《なかま》になってもらうためだ」

「ええっ!?　なんだって!?」

健太《けんた》が驚《おどろ》きの声《こえ》をあげると、美希《みき》も続《つづ》いた。

「何言《なにい》ってるの？　あなた、研究所《けんきゅうしょ》のお茶《ちゃ》に下剤《げざい》を混《ま》ぜてたでしょ!?　そんな人《ひと》たちの仲間《なかま》になんてなるハズないでしょ！」

すると、防護服《ぼうごふく》の人物《じんぶつ》は、赤《あか》い液体《えきたい》が入《はい》った瓶《びん》を取《と》り出《だ》した。

「これのことか？　これは下剤《げざい》なんかじゃない」

「どうだか。ダークアイの言《い》うことなんて、信《しん》じられないわよ」

美希《みき》が言《い》うと、防護服《ぼうごふく》の人物《じんぶつ》は瓶《びん》のキャップを取《と》り外《はず》した。

「だからこの場所《ばしょ》に来《き》た。キミたちに私《わたし》のことを信《しん》じてもらうために」

すると次《つぎ》の瞬間《しゅんかん》……ジャバッ！と、赤《あか》い液体《えきたい》をあたりにまきちらした。

「何《なに》をする!!　証拠《しょうこ》を捨《す》てる気《き》か！」

江古田《えこた》は前《まえ》に出《で》ようとして、思《おも》わず足《あし》を止《と》めた。

突然《とつぜん》、防護服《ぼうごふく》の人物《じんぶつ》が、黒《くろ》いけむりのようなものに包《つつ》まれたのだ。

「うおおおっ！　なんだ!?　どうした!?」

次《つぎ》の瞬間《しゅんかん》、不気味《ぶきみ》な音《おと》があたりに響《ひび》いた。

ブウウウン……。

それは、虫《むし》の羽音《はおと》だった。

よく見《み》ると、黒《くろ》いけむりだと思《おも》ったのは、無数《むすう》のハエの集団《しゅうだん》だった。

「ハエ!?　なんでいきなりこんなに!?」

驚《おどろ》く健太《けんた》に、防護服《ぼうごふく》の人物《じんぶつ》が言《い》う。

「ハエは嗅覚《きゅうかく》が鋭《するど》い。このあたりにいたハエたちが、赤《あか》い液体《えきたい》の香《かお》りに誘《さそ》われて集《あつ》まったのさ」

真実《しんじつ》は鼻《はな》をクンとさせ、あたりに漂《ただよ》う香《かお》りをかいだ。

「なるほど。このあまずっぱい香《かお》り……。ハエを引《ひ》き寄《よ》せる液体《えきたい》の正体《しょうたい》がわかったよ。たしかにこれは下剤《げざい》じゃない」

だが、そこまで言《い》って、真実《しんじつ》はハッとする。

「……だとすると、まさか、あなたがさっき研究所《けんきゅうしょ》にいた目的《もくてき》というのは……」

その言葉《ことば》に、防護服《ぼうごふく》の人物《じんぶつ》はゆっくりうなずいた。

「そうだ。私《わたし》は、研究所《けんきゅうしょ》の人《ひと》たちを救《すく》おうとしていたんだ」

「ええっ⁉　いったいどういうこと……⁉」

息《いき》をのむ健太《けんた》。はたして、赤《あか》い液体《えきたい》の正体《しょうたい》は？

胃薬《いぐすり》
赤酢《あかず》
ビタミン液《えき》

あまずっぱい香《かお》りが
ヒントになる

解《かい》決《けつ》編《へん》

真実《しんじつ》は、防護服《ぼうごふく》の人物《じんぶつ》を見《み》つめて言《い》った。

「ハエはお酢《す》のあまずっぱい香《かお》りに引《ひ》き寄《よ》せられる習性《しゅうせい》がある。その瓶《びん》に入《はい》っていたのは赤《あか》いお酢《す》……『赤酢《あかず》』ですね」

防護服《ぼうごふく》の人物《じんぶつ》は、コクリとうなずいた。

「私《わたし》も研究所《けんきゅうしょ》を調《しら》べてね。センナという植物《しょくぶつ》から作《つく》った下剤《げざい》を飲《の》むと、腹痛《ふくつう》を感《かん》じたり、赤《あか》いおしっこが出《で》ることがある。みんなの話《はなし》から、サーバーにセンナから作《つく》った下剤《げざい》が入《はい》っていると考《かんが》えた私《わたし》は、これ以上《いじょう》、みんながあのお茶《ちゃ》を飲《の》まないように、赤酢《あかず》を入《い》れてサーバーのお茶《ちゃ》に色《いろ》をつけたんだ」

「なるほど、そういうわけか！」

健太《けんた》はうなずいたが、美希《みき》はまだ納得《なっとく》がいかない様子《ようす》だ。

「でもヘンよ。『災《わざわ》い』が降《ふ》りかかるって予言詩《よげんし》を出《だ》したのは、あなたたちダークアイでしょ？　なのに、どうして研究所《けんきゅうしょ》の人《ひと》たちを救《すく》おうとしたの？」

赤酢《あかず》
酢《す》めしを作《つく》るときに使《つか》う、まろやかな味《あじ》わいの酢《す》。

センナ
マメ科《か》の植物《しょくぶつ》で、黄色《きいろ》い花《はな》をつける。便秘薬《べんぴやく》にも用《もち》いられる（160ページ参照《さんしょう》）。飲《の》むとおしっこが赤《あか》っぽくなることもあるが、異常《いじょう》ではない。

「……あの予言詩《よげんし》は私《わたし》たちが発信《はっしん》したものじゃない。ニセモノだ」

「ええっ!? ニセの予言詩《よげんし》!? じゃあ、いったい誰《だれ》が!?」

健太《けんた》が、まだ痛《いた》むおなかを押《お》さえながら言《い》う。

「じゃあ聞《き》こう。研究所《けんきゅうしょ》のお茶《ちゃ》を飲《の》んでいないキミたちは、どうして腹痛《ふくつう》に襲《おそ》われた? 研《けん》究所《きゅうしょ》に行《い》く前《まえ》に、何《なに》かを口《くち》にしなかったか?」

健太《けんた》と美希《みき》は、ハッとして顔《かお》を見合《みあ》わせた。

「そういえば……、新聞社《しんぶんしゃ》で、清井社長《きよいしゃちょう》からもらったおまんじゅうを食《た》べたわよね……!」

「まさか、あの中《なか》にセンナの下剤《げざい》が……!?」

言葉《ことば》を失《うしな》う美希《みき》と健太《けんた》。

防護服《ぼうごふく》の人物《じんぶつ》は静《しず》かにうなずく。

「そう。ニセの予言詩《よげんし》も、下剤《げざい》も、今回《こんかい》の騒《さわ》ぎはすべて清井《きよい》のしわざだ」

ゴゴウ、と強《つよ》い風《かぜ》が吹《ふ》きぬけた。

「そんな! どうして清井社長《きよいしゃちょう》がそんなことを!?」

健太《けんた》にはワケがわからなかった。

防護服《ぼうごふく》の人物《じんぶつ》は、ゆっくりと言葉《ことば》を続《つづ》けた。

「『エデン・プロジェクト』の開発予定地《かいはつよていち》から見《み》つかった古墳《こふん》、それがすべての始《はじ》まりだ。清井《きよい》にとって、古墳《こふん》は邪魔《じゃま》な存在《そんざい》……、消《け》してしまいたい存在《そんざい》だったのさ」

「古墳《こふん》を消《け》してしまいたい？　いったいどうして？」

健太《けんた》が首《くび》をかしげる。

「日本《にほん》の自治体《じちたい》の多《おお》くにはルールがあってね。もしも工事中《こうじちゅう》に、歴史的《れきしてき》な価値《かち》のあるものが見《み》つかったら、工事《こうじ》を中断《ちゅうだん》しなくちゃいけないんだ。発掘調査《はっくつちょうさ》に協力《きょうりょく》するためにね」

その言葉《ことば》に、美希《みき》がポン！　と手《て》を打《う》つ。

「そっか！　清井社長《きよいしゃちょう》は『エデン・プロジェクト』の開発《かいはつ》を進《すす》めたかった。だから、工事《こうじ》の邪魔《じゃま》になる古墳《こふん》には危険《きけん》なウイルスがいるってデマを流《なが》して、取《と》り壊《こわ》そうとしたのね!?」

その言葉《ことば》に、真実《しんじつ》がうなずく。

「そこであなたたちダークアイを利用《りよう》して、ニセの予言詩《よげんし》を出《だ》したんですね。そうすれば、騒《さわ》ぎをもっと大《おお》きくすることができる」

「そのとおりだ」

防護服《ぼうごふく》の人物《じんぶつ》は、じっと3人《にん》を見《み》つめた。

「キミたちの力《ちから》が必要《ひつよう》だ。私《わたし》たち、ダークアイの仲間《なかま》になってほしい」

しかし、次《つぎ》の瞬間《しゅんかん》、健太《けんた》が大《おお》きな声《こえ》をあげた。

「ぼくはいやだ!」

真実《しんじつ》と美希《みき》が振《ふ》り返《かえ》ると、健太《けんた》は震《ふる》えるこぶしをギュッとにぎりしめていた。

「ぼくは、清井社長《きよいしゃちょう》がそんなことをするなんて信《しん》じられない! あなたが言《い》ってることが正《ただ》しいっていう証拠《しょうこ》はあるの!?」

「証拠《しょうこ》は……私自身《わたしじしん》だ」

すると、防護服《ぼうごふく》の人物《じんぶつ》は、かぶっていたフードをゆっくりとおろした。

そう言《い》って、顔《かお》を覆《おお》うマスクに手《て》をかけると……その下《した》から素顔《すがお》が現《あらわ》れた。

「ああっ! あなたは……!」

健太《けんた》が思《おも》わず声《こえ》をあげた。

現《あらわ》れたのは見覚《みおぼ》えのある顔《かお》……それは、獣医師《じゅういし》の「モリー」だった。

バサササッ!

真《ま》っ暗《くら》な夜空《よぞら》からタカが舞《ま》い降《お》り、モリーの革《かわ》の手袋《てぶくろ》に止《と》まった。

江古田《えこた》は驚《おどろ》きのあまり、口《くち》をパクパクさせている。

「そんなバカな……。おまえは……守里《まもり》……！　7年前《ねんまえ》、マレーシアの山火事《やまかじ》で亡《な》くなったはずの、私《わたし》の娘《むすめ》だ……!!」

守里《まもり》と呼《よ》ばれたモリーは、まっすぐ江古田《えこた》を見《み》つめた。

「……久《ひさ》しぶりね。父《とう》さん」

10

SCIENCE TRICK DATA FILE

科学《かがく》トリック データファイル

薬《くすり》にもなる？植《しょく》物《ぶつ》の不《ふ》思《し》議《ぎ》

センナはアフリカ原産《げんさん》のマメ科《か》の植物《しょくぶつ》で、古《ふる》くから便秘《べんぴ》によく効《き》く薬《くすり》として使《つか》われてきました。センナに含《ふく》まれるセンノシドという成分《せいぶん》が腸《ちょう》の動《うご》きを活発《かっぱつ》にし、便秘《べんぴ》を解消《かいしょう》するのです。

センナ以外《いがい》にも、薬《くすり》として働《はたら》く身近《みぢか》な植物《しょくぶつ》はたくさんあります。たとえばオオバコは、せきをしずめる薬《くすり》としても用《もち》いられます。

オオバコ
道端《みちばた》にもたくさん生《は》えている。下痢《げり》止《ど》めやせき止《ど》めなど、幅広《はばひろ》く用《もち》いられる

センナの効《き》き目《め》

センナに含《ふく》まれるセンノシドという成分《せいぶん》が、腸内《ちょうない》で腸《ちょう》を刺激《しげき》する物質《ぶっしつ》に変《か》わる

腸《ちょう》が活発《かっぱつ》に動《うご》くようになり、自然《しぜん》に便《べん》が出《で》てくるようになる

古墳《こふん》の呪《のろ》いは
自作自演《じさくじえん》だった!?

毎朝新聞

日スト
見されていない古墳がた
くさんあり、そのなかに
はもしかしたら未知の、

工事中《こうじちゅう》の現場《げんば》で古墳《こふん》が発見《はっけん》されたことから始《はじ》まった今回《こんかい》の事件《じけん》。

実《じつ》は、これまで日本《にほん》で見《み》つかっている古墳《こふん》は16万基以上《まんきいじょう》、日本全国《にほんぜんこく》のコンビニの数《かず》の約《やく》3倍《ばい》にもなる。しかも、まだ見《み》つかっていない古墳《こふん》もたくさんあるという。

歴史的《れきしてき》な発見《はっけん》といわれる奈良県《ならけん》の高松塚古墳《たかまつづかこふん》も、発見《はっけん》のきっかけは、地元《じもと》の農家《のうか》の人《ひと》が作物《さくもつ》のショウガを貯蔵《ちょぞう》しようと山《やま》に穴《あな》を掘《ほ》っていたことだった。

もしかしたら、みなさんも何《なに》かの拍子《ひょうし》に古墳《こふん》を見《み》つけることがあるかもしれない。

古墳《こふん》や遺跡《いせき》、土器《どき》などは「埋蔵文化財《まいぞうぶんかざい》」と呼《よ》ばれ、許可《きょか》なく勝手《かって》に掘《ほ》ることは、法律《ほうりつ》で禁《きん》じられているので、もし古墳《こふん》らしきものを見《み》つけたら、近《ちか》くの役所《やくしょ》に連絡《れんらく》しよう。

第《だい》十《じっ》回《かい》 身近《みぢか》にあるかも!? もしも古墳《こふん》を見《み》つけたら

化

決《けっ》！
超常現象《ちょうじょうげんしょう》ハンター

今回《こんかい》の騒動《そうどう》の舞台《ぶたい》となった古墳《こふん》の入《い》り口付近《ぐちふきん》

日本《にほん》の絶滅危惧《ぜつめつきぐ》動植物《どうしょくぶつ》

水中《すいちゅう》にすむ昆虫《こんちゅう》としては日本《にほん》でいちばん大《おお》きいタガメ。農薬《のうやく》などの汚染《おせん》に敏感《びんかん》なため、土地開発《とちかいはつ》の進展《しんてん》とともに数《かず》が急速《きゅうそく》に減《へ》り、現在《げんざい》は環境省《かんきょうしょう》が絶滅危惧《ぜつめつきぐ》Ⅱ類《るい》に指定《してい》している。（M・A）

性《せい》も否定《ひてい》
し今回《こんかい》は
逆手《さかて》にと
行為《こうい》を仕
高《たか》くなっ
いその
理由《りゆう》は

古墳《こふん》の中《なか》でミイラと目《め》が合《あ》ったとき、すっごく怖《こわ》かったわよね〜!

ホント!　おなかが痛《いた》くなったとき、絶対《ぜったい》ミイラの呪《のろ》いだって思《おも》ったよ。

健太《けんた》くんは、非科学的《ひかがくてき》だね。有名《ゆうめい》なエジプトの「ツタンカーメンの呪《のろ》い」でさえ、いまは否定《ひてい》されているんだよ。

そうなの!?　エジプトの王様《おうさま》「ツタンカーメン」のお墓《はか》を調《しら》べた人《ひと》たちが何人《なんにん》も原因不明《げんいんふめい》の死《し》をとげたんだよね!?

たしかに、亡《な》くなった人《ひと》は何人《なんにん》かはいたようだけど、もともと病気《びょうき》だったり、ちゃんとした理由《りゆう》があったんだよ。「呪《のろ》い」だと人々《ひとびと》に恐《おそ》れられたのは、当時《とうじ》の新聞《しんぶん》が、あることないこと、デタラメを書《か》いたからなんだ。

でっちあげね!　それって今回《こんかい》、ニセの予言詩《よげんし》を流《なが》した清井社長《きよいしゃちょう》と同《おな》じね。

あの丘《おか》は「エデン・プロジェクト」の開発予定地《かいはつよていち》だって言《い》ってたよね。ミイラの呪《のろ》いをでっちあげてまで、続《つづ》けたい工事《こうじ》って何《なん》なんだろう?

もしかしたら、私《わたし》の娘《むすめ》、守里《まもり》が何《なに》か知《し》っているかも……!?

暴《あば》け！エデンの謎《なぞ》

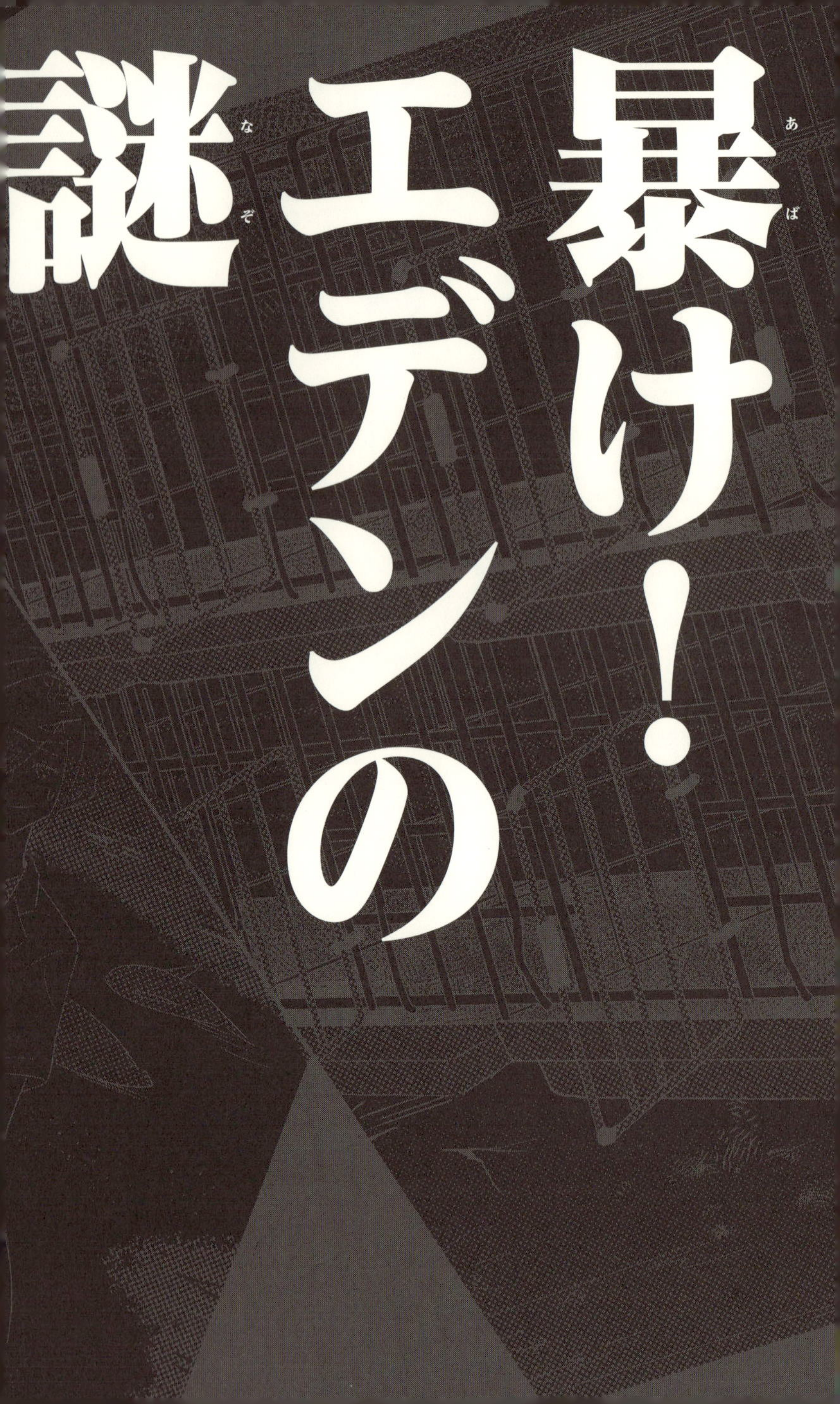

超《ちょう》・自《し》然《ぜん》現《げん》象《しょう》 11

エデン・プロジェクト

謎《なぞ》の獣医師《じゅういし》「モリー」の正体《しょうたい》。

それは、7年前《ねんまえ》、山火事《やまかじ》で亡《な》くなったはずの江古田《えこた》の娘《むすめ》だった。

「守里《まもり》……本当《ほんとう》におまえなのか……!?」

「そうよ、父《とう》さん。ずっと連絡《れんらく》したかった……でも、できなかったの」

「まさか、おまえがダークアイだったなんて……。いったいどうして……!?」

江古田《えこた》が震《ふる》える声《こえ》で言《い》うと、守里《まもり》は革《かわ》の手袋《てぶくろ》をはずした。

その手《て》には、やけどの痕《あと》が深《ふか》くきざまれていた。

「守里《まもり》……!」

「7年前《ねんまえ》。私《わたし》は地獄《じごく》を見《み》た。そして炎《ほのお》の中《なか》で知《し》ったの。何《なに》を守《まも》り、何《なに》と戦《たたか》うべきかを」

「いったい、何《なに》があったんだ……!?」


7年前《ねんまえ》。守里《まもり》はマレーシアにいた。

獣医師《じゅういし》だった守里《まもり》は、アジアで森林《しんりん》の保護《ほご》を進《すす》める「ハピネス・ピープルズ」に雇《やと》われ、野生動物《やせいどうぶつ》の保護《ほご》や治療《ちりょう》をしていたのだ。

「だけど、奇妙《きみょう》なことが起《お》こりはじめたの」

真実《しんじつ》たちを見《み》つめ、守里《まもり》が言葉《ことば》を続《つづ》ける。

「はじめに森《もり》の植物《しょくぶつ》が枯《か》れはじめた。やがて、そこに暮《く》らす動物《どうぶつ》たちが原因不明《げんいんふめい》の奇病《きびょう》にかかり、苦《くる》しみだしたの」

いったい何《なに》が起《お》きているのか？

会社《かいしゃ》のファイルを調《しら》べた守里《まもり》は、驚《おどろ》くべき事実《じじつ》を知《し》る。

「森林保護《しんりんほご》はみせかけだけ。そのウラで会社《かいしゃ》は実験《じっけん》をしていたのよ」

「実験《じっけん》？　いったい何《なん》の？」

美希《みき》が聞《き》くと、守里《まもり》はうなずいた。

「『ハピネス・ピープルズ』は巨大企業《きょだいきぎょう》よ。さまざまな製品《せいひん》を作《つく》っている。その製品《せいひん》を作《つく》るときに出《で》る産業廃棄物《さんぎょうはいきぶつ》……。それを土《つち》に混《ま》ぜて捨《す》てていたの。森《もり》で暮《く》らす生《い》き物《もの》たちに、どんな影響《えいきょう》があるかを調《しら》べるためにね」

「そんな……そんなのひどすぎるよ……！」

思《おも》わず健太《けんた》が声《こえ》をあげる。

「私《わたし》は会社《かいしゃ》を訴《うった》えようとした。そして、やっと証拠《しょうこ》の書類《しょるい》がそろったとき、森《もり》が炎《ほのお》に包《つつ》まれたの……」

守里《まもり》の瞳《ひとみ》が震《ふる》えた。

目《め》の前《まえ》で激《はげ》しく燃《も》える炎《ほのお》を見《み》つめているようだった。

「私《わたし》は炎《ほのお》の中《なか》に飛《と》び込《こ》んだ。けれど、誰《だれ》も救《すく》えなかった。美《うつく》しい木《き》や花《はな》も、苦《くる》しむ動物《どうぶつ》たちも……。みんな炎《ほのお》に焼《や》かれて死《し》んでいった……」

守里《まもり》は、やけどの痕《あと》が残《のこ》る手《て》を、ギュッとにぎりしめた。

「炎《ほのお》が消《き》えた後《あと》、警察《けいさつ》が調《しら》べたけど、産業廃棄物《さんぎょうはいきぶつ》に関《かん》する証拠《しょうこ》は何《なに》も見《み》つからなかった。残《のこ》った証拠《しょうこ》は、私《わたし》が手《て》にした書類《しょるい》だけ。だけど、このことが知《し》られたら、誰《だれ》かに命《いのち》を狙《ねら》われるかもしれない。だから私《わたし》は姿《すがた》を消《け》したの……」

「そうだったのか……」

江古田《えこた》は肩《かた》を震《ふる》わせながら、長《なが》いため息《いき》をついた。

「でも、命《いのち》を狙《ねら》われるなんて、いったい誰《だれ》に？」

健太《けんた》が言《い》うと、守里《まもり》は顔《かお》をあげた。

「当時《とうじ》、会社《かいしゃ》でアジア担当《たんとう》のリーダーだったのが清井《きよい》……今《いま》の社長《しゃちょう》よ」

「そんな……。あの清井社長《きよいしゃちょう》が!?」

「それから私《わたし》は、日本《にほん》に戻《もど》り、清井《きよい》がかかわる仕事《しごと》を調《しら》べはじめた。そして、彼《かれ》の恐《おそ》ろしさを知《し》ったの。あなたたちも見《み》たでしょう？　さまざまな町《まち》で、自然《しぜん》が壊《こわ》されていたそのウラに、清井《きよい》の姿《すがた》があったことを……」

「……そういえば、クジラのときも、赤潮《あかしお》も、守里《まもり》さんに教《おそ》わった、ペットのときだってそうだった」

守里《まもり》の言《い》うとおりだった。

健太《けんた》の背中《せなか》に、ゾクリと冷《つめ》たいものが走《はし》った。

「やがて私《わたし》は、ふるさとの花森町《はなもりちょう》で清井《きよい》が進《すす》める『エデン・プロジェクト』の極秘書類《ごくひしょるい》を手《て》に入《い》れたの。そこには、計画《けいかく》の本当《ほんとう》の目的《もくてき》が書《か》かれていた」

その言葉《ことば》に、美希《みき》が身《み》を乗《の》り出《だ》す。

「本当《ほんとう》の目的《もくてき》？　『エデン・プロジェクト』は、人間《にんげん》が出《だ》したごみを肥料《ひりょう》やバイオガスに変《か》える、とってもエコな町《まち》づくりが目的《もくてき》のはずよね？」

だが、守里《まもり》は首《くび》を振《ふ》った。

「いいえ。表向《おもてむ》きは夢《ゆめ》のようだけど、ウラの姿《すがた》は悪魔《あくま》のように恐《おそ》ろしい計《けい》画《かく》よ。町《まち》の自然《しぜん》が破壊《はかい》され、誰一人《だれひとり》、住《す》めなくなってしまう可能性《かのうせい》だってある」

「ええっ!?　いったいどういうことなの!?」

健太《けんた》たちは息《いき》をのんだ。

「私《わたし》たち、ダークアイの目的《もくてき》は、『エデン・プロジェクト』を止《と》めることよ。手《て》に入《い》れた秘密《ひみつ》を、ネットで世界《せかい》に向《む》けて発信《はっしん》するつもり。そのために、予言詩《よげんし》を発表《はっぴょう》して、世間《せけん》の注目《ちゅうもく》を集《あつ》めてきたの」

守里《まもり》は、真実《しんじつ》たちをまっすぐに見《み》つめて言《い》った。

「お願《ねが》い、私《わたし》たちに力《ちから》を貸《か》して」

「さあ、ここなら誰《だれ》にも見《み》つかる心配《しんぱい》がないぞ」

真実《しんじつ》たちと守里《まもり》は、江古田《えこた》の家《いえ》にやってきた。

バイオガス
食《た》べ残《のこ》しなどの生《なま》ごみや紙《かみ》ごみ、家畜《かちく》のフンなどを、酸素《さんそ》のない状《じょう》態《たい》で微生物《びせいぶつ》に分解《ぶんかい》させることで得《え》られるガス（主《おも》にメタンガス）のこと。燃《も》えやすい気体《きたい》なので、発電《はつでん》などにも利用《りよう》できる。微生物《びせいぶつ》の食《た》べ残《のこ》しは、肥料《ひりょう》にもなる。

玄関《げんかん》を開《あ》けると、大《おお》きな犬《いぬ》がしっぽを振《ふ》っている。

ペットショップから江古田《えこた》が引《ひ》き取《と》った、あの秋田犬《あきたいぬ》だった。

「おお、ムク。留守番《るすばん》ごくろうだったな。今日《きょう》はお客《きゃく》さんがいっぱいだぞ」

「うわあ、元気《げんき》そうだね。ムク！」

健太《けんた》が頭《あたま》をなでると、ムクも健太《けんた》のほっぺたをなめかえした。

守里《まもり》は、久《ひさ》しぶりのわが家《や》にあがると、なつかしそうに部屋《へや》を見渡《みわた》した。

「全然《ぜんぜん》変《か》わってないわね……なつかしい」

リビングには、たくさんの写真《しゃしん》が飾《かざ》られていた。

幼《おさな》い守里《まもり》を抱《だ》いた江古田《えこた》と妻《つま》……3人《にん》が幸《しあわ》せそうに笑《わら》っている。

「母《かあ》さんは……？」

「しばらく入院《にゅういん》してるよ。マレーシアの一件以来《いっけんいらい》、体《からだ》が弱《よわ》ってしまってな……」

江古田《えこた》の言葉《ことば》に、守里《まもり》は手《て》のひらをギュッと強《つよ》くにぎりしめた。

「もう少《すこ》しよ……。もう少《すこ》しで、また3人《にん》で笑《わら》い合《あ》える日《ひ》を取《と》り戻《もど》せるわ」

その強《つよ》くまっすぐな瞳《ひとみ》を見《み》つめ、江古田《えこた》は言《い》った。

「守里《まもり》。本当《ほんとう》に『エデン・プロジェクト』を止《と》めるつもりなのか？」

「ええ。本気《ほんき》よ」

「『エデン・プロジェクト』の本当《ほんとう》の目的《もくてき》が書《か》かれた書類《しょるい》を手《て》に入《い》れたと言《い》ってましたね。本当《ほんとう》の目的《もくてき》とはいったい何《なん》ですか？」

真実《しんじつ》が言《い》うと、守里《まもり》はみんなの顔《かお》を見渡《みわた》した。

「私《わたし》たちダークアイが、最初《さいしょ》に出《だ》した予言詩《よげんし》を覚《おぼ》えてる？」

8の月《つき》。
世界《せかい》の緑《みどり》がつどうとき、汝《なんじ》の足元《あしもと》を見《み》よ。
暗黒《あんこく》の世界《せかい》の扉《とびら》が開《ひら》く

「あの予言詩《よげんし》……植物園《しょくぶつえん》の地下《ちか》に秘密《ひみつ》があるってことですよね？　私《わたし》たち、地下《ちか》で不思議《ふしぎ》な部屋《へや》を見《み》たんです。たしか、カナリア・ルームって呼《よ》ばれてたわ」

美希《みき》の言葉《ことば》に、守里《まもり》はうなずいた。

「やっぱり。もうそこまで完成《かんせい》していたのね。書類《しょるい》にはこう書《か》かれている。カナリア・ルームのさらに地下深《ちかふか》く……そこに、本当《ほんとう》の『エデン』がある」

「本当《ほんとう》の『エデン』……!? それは、いったい何《なん》なんだ?」

江古田《えこた》が思《おも》わず身《み》を乗《の》り出《だ》す。

「今《いま》は言《い》えない。まだ決定的《けっていてき》な証拠《しょうこ》をつかめてないの。その証拠《しょうこ》を手《て》に入《い》れて、ダークアイとしてネットで発表《はっぴょう》すれば、きっとみんなわかってくれる。そうすれば、『エデン・プロジェクト』を止《と》められるはずよ」

真実《しんじつ》は、人差《ひとさ》し指《ゆび》でクイッと眼鏡《めがね》を持《も》ち上《あ》げた。

「もう一度《いちど》、植物園《しょくぶつえん》に行《い》こう。地下深《ちかふか》くにある『エデン』を見《み》つけるんだ」


うすぐらい月明《つきあ》かりの下《した》。

真実《しんじつ》たちは、花森山《はなもりやま》にあるモデルタウン「エデン」建設予定地《けんせつよていち》へと向《む》かった。

たくさんのバッタが跳《は》ね回《まわ》る草《くさ》むらを駆《か》けぬけ、「花森《はなもり》グリーンワールド」にしのびこんだ。

「ねえ、どうやって、地下《ちか》にある『エデン』に下《お》りるの？　今回《こんかい》は、清井社長《きよいしゃちょう》のＩＤ《アイディー》カードはないんだよ？」

健太《けんた》が言《い》うと、守里《まもり》が一枚《いちまい》の黒《くろ》いカードを取《と》り出《だ》した。

「大丈夫《だいじょうぶ》よ。この偽造《ぎぞう》したＩＤ《アイディー》カードがあれば、どこにでも入《はい》れるわ」

「うわ～、守里《まもり》さんって頼《たよ》りになるよね！　あれ？　どうしたの？　真実《しんじつ》くん」

そのとき、真実《しんじつ》は植物園《しょくぶつえん》の中庭《なかにわ》にある、大《おお》きな池《いけ》を見《み》つめていた。

水面《すいめん》からボコボコと泡《あわ》が湧《わ》き出《だ》し、まわりの水草《みずくさ》が枯《か》れている。

「……いや。なんでもない。さあ、地下《ちか》へ下《お》りよう」


万《まん》が一《いち》に備《そな》えて、美希《みき》は地上《ちじょう》に残《のこ》ることになった。

守里《まもり》がリュックから「20連発《れんぱつ》」と書《か》かれた筒状《つつじょう》の花火《はなび》を取《と》り出《だ》し、美希《みき》に渡《わた》す。

「仲間《なかま》との緊急連絡用《きんきゅうれんらくよう》の花火《はなび》よ。一《ひと》つ渡《わた》しておくわ。何《なに》かあったら、花火《はなび》を打《う》ち上《あ》げて。ダークアイの仲間《なかま》が助《たす》けに来《き》てくれるわ」

「ありがとう、守里《まもり》さん。気《き》をつけてね、みんな！」

美希《みき》は花火《はなび》を受《う》け取《と》ると、親指《おやゆび》を立《た》てて「グー！」のサインを送《おく》った。


地下《ちか》へと続《つづ》く長《なが》い階段《かいだん》を下《お》り始《はじ》めた、真実《しんじつ》、健太《けんた》、守里《まもり》。

やがて目《め》の前《まえ》に巨大《きょだい》な金属製《きんぞくせい》の扉《とびら》が現《あらわ》れた。守里《まもり》が言《い》う。


「ここが、カナリア・ルームね」

広大《こうだい》な室内《しつない》は青白《あおじろ》い人工《じんこう》の月明《つきあ》かりに照《て》らされ、美《うつく》しい草花《くさばな》が揺《ゆ》れていた。

澄《す》んだ地下水《ちかすい》が川《かわ》のように流《なが》れ、虫《むし》たちの鳴《な》く声《こえ》が響《ひび》いている。


「ここがなぜ、カナリア・ルームと呼《よ》ばれているかわかる？」

守里《まもり》が言《い》うと、健太《けんた》は得意《とくい》げに答《こた》える。

「清井社長《きよいしゃちょう》から聞《き》いたよ。カナリアの美《うつく》しい鳴《な》き声《ごえ》みたいに、ここできれいな自然《しぜん》を取《と》り戻《もど》すための研究《けんきゅう》をしてるんだって」


「いいえ。それは違《ちが》う」

守里《まもり》は悲《かな》しげな目《め》をして言《い》った。

「昔《むかし》、石炭《せきたん》を掘《ほ》る炭鉱作業員《たんこうさぎょういん》たちは、地下《ちか》にカナリアを一緒《いっしょ》に連《つ》れていったの」

「カナリアを？　いったいどうして？」

「地下《ちか》で有毒《ゆうどく》なガスが発生《はっせい》したとき、すぐにわかるようにするためよ。もし、ガスが発生《はっせい》したら、カゴの中《なか》のカナリアは鳴《な》かなくなる」

真実《しんじつ》はハッとして、室内《しつない》の草花《くさばな》を見《み》つめた。

「そうか、この部屋《へや》の生《い》き物《もの》たちは、カナリアの役目《やくめ》をしているんだ。非常事態《ひじょうじたい》に備《そな》えて用意《ようい》された、生《い》きた警報装置《けいほうそうち》なんだ」

真実《しんじつ》の言葉《ことば》に、守里《まもり》がうなずく。

「ええ。それが、カナリア・ルームの正体《しょうたい》。そして、恐《おそ》ろしい有毒物質《ゆうどくぶっしつ》が、この真下《ました》……本当《ほんとう》の『エデン』にある」

「有毒物質《ゆうどくぶっしつ》!?　エデンっていったい何《なん》なの!?」

健太《けんた》はゴクリとつばをのみ込《こ》んだ。

真実《しんじつ》たちは、カナリア・ルームの奥《おく》に、さらに地下《ちか》へ下《お》りていけるハシゴを見《み》つけた。

炭鉱《たんこう》のカナリア
炭鉱作業員《たんこうさぎょういん》がカナリアを使《つか》って危険《きけん》なガスの発生《はっせい》を早期発見《そうきはっけん》していたことから、まだ起《お》きていない危険《きけん》を知《し》らせる人《ひと》や状況《じょうきょう》のことを「炭鉱《たんこう》のカナリア」という。

「きっと、エデンに続《つづ》いているはずよ」

守里《まもり》を先頭《せんとう》に、長《なが》いハシゴを下《お》り始《はじ》める真実《しんじつ》たち。

「ひい、はあ……いったいどこまで下《お》りるんだろう？」

健太《けんた》が疲《つか》れ果《は》てたころ、ようやく下《した》のフロアに着《つ》いた。

守里《まもり》が暗証番号《あんしょうばんごう》を入《い》れると、三重《さんじゅう》になった、分厚《ぶあつ》い鉄《てつ》の扉《とびら》が開《ひら》く。

ガゴーン、ガゴーン、ガゴゴーーン！

扉《とびら》をくぐると、中《なか》は、金属《きんぞく》でできた巨大《きょだい》なドームになっていた。

「これがエデン……!?　メチャクチャ広《ひろ》いよ、ここは何《なに》をする場所《ばしょ》なの!?」

目《め》を丸《まる》くする健太《けんた》に、守里《まもり》が答《こた》える。

「廃棄所《はいきじょ》よ。清井《きよい》の会社《かいしゃ》『ハピネス・ピープルズ』が、捨《す》て場所《ばしょ》に困《こま》った産業廃棄物《さんぎょうはいきぶつ》を捨《す》てるためのね」

「えっ？　でも、清井社長《きよいしゃちょう》は、どんなごみでもバイオガスや肥料《ひりょう》に変《か》える、夢《ゆめ》の技術《ぎじゅつ》を開発《かいはつ》したはずだよね？」

健太《けんた》が言《い》うと、真実《しんじつ》は口元《くちもと》に手《て》を当《あ》てた。

「そうか……表向《おもてむ》きは、ごみが出《で》ない夢《ゆめ》の町《まち》。だけど産業廃棄物《さんぎょうはいきぶつ》だけはどうすることもできなかった。だから、町《まち》の下《した》に秘密《ひみつ》の廃棄所《はいきじょ》、エデンをつくった……」

「そのとおりよ。しかも、ただの廃棄所《はいきじょ》じゃない」

守里《まもり》は、巨大《きょだい》なドームを見渡《みわた》しながら言葉《ことば》を続《つづ》けた。

「産業廃棄物《さんぎょうはいきぶつ》のなかには、毒性《どくせい》の強《つよ》いものもある。そうした物《もの》は、燃《も》やしたり薬品《やくひん》を加《くわ》えたりして、捨《す》てても安全《あんぜん》なように処理《しょり》しなきゃいけないの。でも、ここには危険《きけん》な廃棄物《はいきぶつ》がそのまま運《はこ》び込《こ》まれるのよ。処理《しょり》にかかるお金《かね》と時間《じかん》をなくすためにね」

「ええっ!?　もし、そんな危《あぶ》ないものが、ここから漏《も》れたりしたら……」

健太《けんた》の顔《かお》が青《あお》ざめていく。

「大変《たいへん》なことになるわ。しかも、私《わたし》たちが手《て》に入《い》れた書類《しょるい》によれば、清井《きよい》は花森町《はなもりちょう》の地下《ちか》に、八《やっ》つのエデンをつくろうとしてるの」

「そんなにたくさん!?」

「ええ。古墳《こふん》が見《み》つかったあの丘《おか》も、その予定地《よていち》だったはずよ。いつ土《つち》や水《みず》が汚染《おせん》され、人《ひと》が住《す》めなくなってしまうかもわからない。それが『エデン・プロジェクト』の本当《ほんとう》の姿《すがた》よ」

「そんなのおかしいよ！　どうにかできないの!?」

健太《けんた》が叫《さけ》ぶと、守里《まもり》はタブレットでエデンの写真《しゃしん》を撮《と》った。

「これで証拠《しょうこ》もそろったわ。この写真《しゃしん》とダークアイのメッセージをネットにあげて、世界《せかい》の人《ひと》たちに事実《じじつ》を伝《つた》えるの。今《いま》なら計画《けいかく》を止《と》められる」

そう言《い》って、守里《まもり》がタブレットを操作《そうさ》しようとした瞬間《しゅんかん》……。

ガシャーーン！

扉《とびら》が閉《し》まる、重《おも》たい金属音《きんぞくおん》が響《ひび》いた。

「侵入者発見《しんにゅうしゃはっけん》！　手《て》をあげておとなしくするんだ！」

警棒《けいぼう》を手《て》にしたガードマンたちが現《あらわ》れ、真実《しんじつ》、健太《けんた》、守里《まもり》を取《と》り囲《かこ》んだ。

「ああ……、どうしよう!?」

うろたえる健太《けんた》。そのとき、声《こえ》が響《ひび》いた。

「相手《あいて》は子《こ》どもに女性《じょせい》だ。手荒《てあら》なあつかいはやめたまえ」

見《み》ると、やってきたのは清井《きよい》だった。

「清井社長《きよいしゃちょう》……！」

健太《けんた》が声《こえ》をあげる。

「やあ、真実《しんじつ》くんに健太《けんた》くん。そしてもう一人《ひとり》は……これは驚《おどろ》いた。守里《まもり》くんじゃないか、生《い》きていたのか……」

「清井《きよい》……！」

守里《まもり》の肩《かた》が怒《いか》りで震《ふる》えた。

「未来《みらい》のためと言《い》いながら、平気《へいき》で自然《しぜん》を壊《こわ》すあなたのやり方《かた》は間違《まちが》っている。エデン・プロジェクトは、必《かなら》ず止《と》めてみせるわ！」

その言葉《ことば》を聞《き》いた清井《きよい》は、さわやかに笑《わら》った。

「ほほう。それじゃあ、キミたちは自然《しぜん》を壊《こわ》していないとでも？　人《ひと》はみな、快適《かいてき》な暮《く》らしが当《あ》たり前《まえ》だと思《おも》っている。毎日《まいにち》、エネルギーをむだづかいして、水《みず》や空気《くうき》を汚《よご》している。残念《ざんねん》だが、人《ひと》は、自然《しぜん》とともに生《い》きることなんてできないんだよ」

そのとおりかもしれない……。

健太《けんた》は、何《なに》も言《い》い返《かえ》すことができなかった。

「便利《べんり》で快適《かいてき》……、私《わたし》はそんな、みんなの暮《く》らしを守《まも》ってあげたい。しかし、さまざまな製《せい》品《ひん》を作《つく》れば、多《おお》くの危険《きけん》な廃棄物《はいきぶつ》も出《で》てしまう。しかもそれらは簡単《かんたん》に捨《す》てられない。そこで考《かんが》えたのがこのエデンだ。どんなに危険《きけん》な廃棄物《はいきぶつ》でも、永遠《えいえん》に貯蔵《ちょぞう》できる完璧《かんぺき》なシステム。これで人類《じんるい》は、思《おも》うがままに快適《かいてき》に暮《く》らせる。まさに楽園《らくえん》のはじまりだ」

しかし、守里《まもり》は大《おお》きく首《くび》を振《ふ》った。

「いいえ。人《ひと》が作《つく》ったものに、完璧《かんぺき》や永遠《えいえん》なんてない。もしも巨大《きょだい》な地震《じしん》が起《お》きたら？　地《ち》殻変動《かくへんどう》が起《お》きたら？　エデンから毒《どく》が漏《も》れたら、この町《まち》は、楽園《らくえん》どころか地獄《じごく》になる。あなたが実験《じっけん》した、マレーシアの森《もり》のようにね」

清井《きよい》の顔《かお》から笑《え》みが消《き》えた。

「やれやれ……。どうしてキミは、私《わたし》の邪魔《じゃま》ばかりするんだい？　あのときの森林火災《しんりんかさい》で、灰《はい》になってくれたと思《おも》っていたんだがね」

「あの火災《かさい》……やっぱりあなたが!?」

「そうとも。私《わたし》が命《めい》じたのさ。森《もり》に火《ひ》をつけ、すべての証拠《しょうこ》を消《け》すようにね。まさか、キミが炎《ほのお》の中《なか》に飛《と》び込《こ》んでくれるとは思《おも》わなかったがね」

清井《きよい》が冷《つめ》たく笑《わら》うと、守里《まもり》は手《て》にしたタブレットを突《つ》きつけた。

「これ以上《いじょう》、あなたの好《す》きにはさせない。私《わたし》が手《て》にしたエデンの秘密《ひみつ》をネットにのせれば、エデン・プロジェクトは終《お》わりよ！」

「残念《ざんねん》だが、終《お》わるのはキミたちのほうだよ」

清井《きよい》がそう言《い》うと、ガードマンに連《つ》れられ、江古田《えこた》が現《あらわ》れた。

「父《とう》さん……！」

「フフフ……守里《まもり》くんのフリをして、『助《たす》けてほしい』とメールをしたら、あわててやってきたよ。ネットにデータを送《おく》れば、お父《とう》さんはどうなるかな？　建設現場《けんせつげんば》では、よく事故《じこ》が起《お》きるというからね」

「守里《まもり》！　私《わたし》はどうなってもかまわん、データをネットにのせるんだ！　本当《ほんとう》のことをみんなに伝《つた》えてくれ！」

タブレットのキーを押《お》そうとする守里《まもり》。その指先《ゆびさき》が震《ふる》えた。

「ごめんなさい……父《とう》さん」

弱々《よわよわ》しくつぶやくと、守里《まもり》はタブレットを床《ゆか》に置《お》いた。

「フフフ……それでいい。父親思《ちちおやおも》いのやさしい子《こ》だ」

清井《きよい》は守里《まもり》に近《ちか》づくと、バキリとタブレットを踏《ふ》みつぶした。

健太《けんた》の目《め》に、ジワリと涙《なみだ》がにじんだ。

「清井社長《きよいしゃちょう》……どうして……!?　信《しん》じてたのに！　尊敬《そんけい》してたのに……！」

清井《きよい》は健太《けんた》を見《み》つめると、健太《けんた》の肩《かた》にやさしく手《て》を置《お》いた。

「健太《けんた》くん、約束《やくそく》するよ。私《わたし》は必《かなら》ず、この世界《せかい》をもっと人間《にんげん》が住《す》みやすい場所《ばしょ》に変《か》えてみせる」

そう言《い》うと、清井《きよい》は守里《まもり》たちを見渡《みわた》し、大《おお》きく両手《りょうて》を広《ひろ》げた。

「今日《きょう》、世界各国《せかいかっこく》の環境大臣《かんきょうだいじん》が、モデルタウン『エデン』の視察《しさつ》に来《く》る。彼《かれ》らは、自分《じぶん》の国《くに》にもこの町《まち》のエコシステムがほしいと言《い》うだろう。その地下《ちか》に、我々《われわれ》が本当《ほんとう》のエデンをつくるとも知《し》らずにね。すばらしいだろう？　もうすぐ世界中《せかいじゅう》に、このエデンが広《ひろ》まるんだ」

「なんですって……!?　世界中《せかいじゅう》にエデンが……!?」

守里《まもり》が息《いき》をのむ。

「だから、キミたちにはもう少《すこ》しここにいてもらうよ」

清井《きよい》はニヤリと笑《わら》うと、ガードマンたちに合図《あいず》を送《おく》った。

ドサッ！

真実《しんじつ》たちはロープで手足《てあし》を縛《しば》られ、エデンの床《ゆか》に投《な》げ出《だ》された。

江古田《えこた》が弱々《よわよわ》しい声《こえ》で言《い》う。

「私《わたし》のせいで、すまない……。なんとかやつの計画《けいかく》を止《と》めないと……」

「でも、タブレットも壊《こわ》されちゃったよ。地下《ちか》に本当《ほんとう》のエデンがあるって、どうやってみんなに知《し》らせればいいの!?」

健太《けんた》は必死《ひっし》に体《からだ》をよじったが、固《かた》く結《むす》ばれたロープはゆるまなかった。

「まだ終《お》わりじゃない。ここから出《で》られれば、清井《きよい》の計画《けいかく》は止《と》められるわ」

守里《まもり》はひざを曲《ま》げると、靴底《くつぞこ》に手《て》を伸《の》ばした。

スラリ！　と隠《かく》してあった小型《こがた》のナイフが現《あらわ》れる。

守里《まもり》は、後《うし》ろ手《で》でナイフをつかむと、みんなのロープを切《き》り、扉《とびら》に駆《か》け寄《よ》った。

しかし、暗証番号《あんしょうばんごう》を入力《にゅうりょく》しても扉《とびら》は開《あ》かない。

「パスワードが変更《へんこう》されてる……！　このままじゃ、ここから出《で》られない」

「そんな……！」

健太《けんた》が失意《しつい》の声《こえ》をあげた瞬間《しゅんかん》……真実《しんじつ》の声《こえ》が響《ひび》いた。

「一《ひと》つだけ可能性《かのうせい》がある。このエデンを壊《こわ》すんだ」

「えぇっ！　エデンを壊《こわ》す!?　いったいどうやって!?」

真実《しんじつ》の意外《いがい》な言葉《ことば》に、健太《けんた》たちは驚《おどろ》いた。

「覚《おぼ》えているかい？　植物園《しょくぶつえん》の池《いけ》から泡《あわ》が湧《わ》き出《で》ていた。あの気体《きたい》を利用《りよう》すれば、エデンの一部《いちぶ》を壊《こわ》し、扉《とびら》のロックを解除《かいじょ》できるかもしれない」

はたして、その泡《あわ》の正体《しょうたい》とは……？

二酸化炭素《にさんかたんそ》
メタンガス
アンモニア

エデンを壊《こわ》すパワーがある気体《きたい》だよ

解《かい》決《けつ》編《へん》

「池《いけ》から湧《わ》き出《で》ていた泡《あわ》の正体《しょうたい》は、地下《ちか》にたまっているメタンガスだよ」

真実《しんじつ》が言《い》うと、健太《けんた》が待《ま》ちきれずに聞《き》き返《かえ》す。

「それで⁉ そのメタンガスで、どうやってエデンを壊《こわ》すの⁉」

「メタンガスは、地下《ちか》にあるときは、地下水《ちかすい》に溶《と》けていることが多《おお》い。その地下水《ちかすい》を大量《たいりょう》に使《つか》っている場所《ばしょ》が、このエデンの中《なか》にあるんだ」

守里《まもり》がハッと気《き》づく。

「設計図《せっけいず》で見《み》たわ。エデンのまわりを囲《かこ》んでいる冷却《れいきゃく》パイプね」

「そう。エデンの熱《ねつ》を冷《さ》ます冷却《れいきゃく》パイプの中《なか》には、地下水《ちかすい》が流《なが》れている。だからきっと、冷却《れいきゃく》パイプの中《なか》にはメタンガスがたまっているはずだ。そのガスに火《ひ》をつけることができれば……」

「冷却《れいきゃく》パイプを爆破《ばくは》できるってわけ⁉」

「ああ。賭《か》けだが、非常事態《ひじょうじたい》で扉《とびら》のロックが解除《かいじょ》されるかもしれない」

4人《にん》は、エデンの奥《おく》に、冷却《れいきゃく》パイプの点検室《てんけんしつ》を見《み》つけた。

巨大《きょだい》な冷却《れいきゃく》パイプが床《ゆか》に敷《し》かれている。

日本《にほん》の天然《てんねん》ガス
地下《ちか》に自然《しぜん》にたまっているガスのことを「天《てん》然《ねん》ガス」という。日本《にほん》にも千葉《ちば》県《けん》や東京《とうきょう》都《と》を含《ふく》む地域《ちいき》に広《ひろ》がる「南《みなみ》関東《かんとう》ガス田《でん》」などの天《てん》然《ねん》ガス田《でん》が存在《そんざい》している。天然《てんねん》ガスの大半《たいはん》はメタンガスである。

守里《まもり》がパイプについた点検用《てんけんよう》の扉《とびら》を開《ひら》くと、中《なか》には勢《いきお》いよく地下水《ちかすい》が流《なが》れていた。

「水《みず》でいっぱいだよ!?　どうやってパイプの中《なか》のメタンガスに火《ひ》をつけるの!?」

健太《けんた》が声《こえ》をあげると、真実《しんじつ》は、守里《まもり》のリュックを指《ゆび》さした。

「守里《まもり》さん、さっき、美希《みき》さんに筒状《つつじょう》の花火《はなび》を渡《わた》してましたよね。あれなら水《みず》の中《なか》でも火《ひ》が消《き》えないはずです」

「えっ!?　花火《はなび》って、水《みず》の中《なか》でも火《ひ》が消《き》えないの？」

健太《けんた》が聞《き》き返《かえ》すと、真実《しんじつ》はうなずいた。

「ああ。水《みず》の中《なか》は、火《ひ》が燃《も》えるのに必要《ひつよう》な『酸素《さんそ》』が足《た》りない。だけど、花火《はなび》の火薬《かやく》には、勢《いきお》いよく火《ひ》を燃《も》やすために、燃《も》えると『酸素《さんそ》』を作《つく》りだす『酸化剤《さんかざい》』が入《はい》っているんだ。だから、水《みず》の中《なか》でも『酸素《さんそ》』に困《こま》らない。そして、噴《ふ》き出《で》た『酸素《さんそ》』が、水《みず》を押《お》し返《かえ》してくれるから、水《みず》にぬれて火《ひ》が消《き》えることもない」

「そっか！　それなら、メタンガスに火《ひ》がつけられるかもね！」

健太《けんた》がうなずく横《よこ》で、守里《まもり》が花火《はなび》を取《と》り出《だ》した。

「入《い》れるわ！　離《はな》れて！」

点火《てんか》した花火《はなび》を冷却《れいきゃく》パイプの中《なか》に投《な》げ入《い》れ、扉《とびら》を閉《し》める守里《まもり》。

真実《しんじつ》たちは、素早《すばや》く点検室《てんけんしつ》を飛《と》び出《だ》し、床《ゆか》にふせる。

次《つぎ》の瞬間《しゅんかん》……ズズズズズン！

にぶい音《おと》がエデンに響《ひび》き、グラグラとドームが揺《ゆ》れた。

「振動《しんどう》カクニン。タダチニ避難《ひなん》シテクダサイ。ロック解除《かいじょ》、ロック解除《かいじょ》」

かん高《だか》い機械《きかい》の音声《おんせい》が、ドーム内《ない》に鳴《な》り響《ひび》く。

「やったあ！　扉《とびら》のロックが解除《かいじょ》されたよ！　早《はや》く地上《ちじょう》へ行《い》こう！」

あわてて駆《か》けだそうとする健太《けんた》を、守里《まもり》が止《と》めた。

「待《ま》って。清井《きよい》の計画《けいかく》を止《と》めるには、最後《さいご》の手段《しゅだん》を使《つか》うしかない。みんなはここを出《で》たら町《まち》へ逃《に》げて。約束《やくそく》よ」

「守里《まもり》さん、いったい何《なに》をするつもりなの!?」

「設計図《せっけいず》にものっていないけれど、エデンと外《そと》の世界《せかい》をつなぐ秘密《ひみつ》の場所《ばしょ》があるの。その場《ば》所《しょ》を見《み》つけだすのよ。危険《きけん》だけど……ある自然《しぜん》の力《ちから》を借《か》りてね」

そう言《い》うと、守里《まもり》は扉《とびら》を開《あ》け、一人《ひとり》で飛《と》び出《だ》していった。

11

SCIENCE TRICK DATA FILE

科学《かがく》トリック データファイル

日本《にほん》にもある天然《てんねん》ガス田《でん》

メタンガスが主成分《しゅせいぶん》である天然《てんねん》ガスはおもにアメリカやロシアで産出《さんしゅつ》されますが、日本《にほん》でもごくわずかですがとれる場所《ばしょ》があります。なかでも最大《さいだい》の天然《てんねん》ガス田《でん》として知《し》られるのが、千葉県《ちばけん》を中心《ちゅうしん》とした南関東一帯《みなみかんとういったい》に広《ひろ》がる「南《みなみ》

天然《てんねん》ガスのでき方《かた》

①海中《かいちゅう》で魚《さかな》や貝《かい》などの生物《せいぶつ》が死《し》んで、死《し》がいが沈《しず》んでいく

②沈《しず》んだ死《し》がいが長《なが》い年月《ねんげつ》をかけて泥《どろ》の中《なか》に埋《う》もれて圧縮《あっしゅく》され、泥岩《でいがん》となる

関東《かんとう》ガス田《でん》」です。千葉県《ちばけん》には、庭先《にわさき》で湧《わ》いたガスを暖房《だんぼう》やお風呂《ふろ》に使《つか》っている家《いえ》もありました(写真《しゃしん》はガスを分離《ぶんり》する装置《そうち》)。

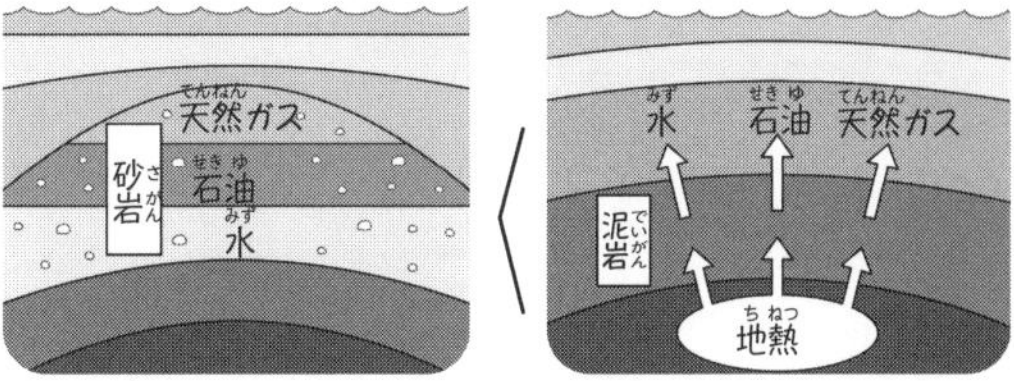

③泥岩《でいがん》が地中《ちちゅう》の高温《こうおん》にさらされて分解《ぶんかい》され、水《みず》、石油《せきゆ》、天然《てんねん》ガスが生《う》まれる

④すき間《ま》の多《おお》い砂岩《さがん》の中《なか》に水《みず》、石油《せきゆ》、天然《てんねん》ガスが重《おも》い順《じゅん》にたまっていく

真実《しんじつ》くんの
気《き》づきで
脱出《だっしゅつ》できた！

毎朝新聞

伝《でん》されてきた「エデン」
しかし、エデンの一角《いっかく》に

「エデン」の正体《しょうたい》は、産《さん》業廃棄物《ぎょうはいきぶつ》を捨《す》てる巨大《きょだい》な廃棄所《はいきじょ》だった。地下深《ちかふか》く、分厚《ぶあつ》いコンクリートにおおわれた「エデン」に危《き》険《けん》な物質《ぶっしつ》をまとめて捨《す》てて、永久《えいきゅう》に保管《ほかん》する計画《けいかく》

ある植物園《しょくぶつえん》の地下《ちか》に

なのだという。

日本《にほん》の法律《ほうりつ》では、有害《ゆうがい》な産業廃棄物《さんぎょうはいきぶつ》は、捨《す》てても安全《あんぜん》なように「処理《しょり》」しなくてはならない。

そうした「処理《しょり》」にはお金《かね》と時間《じかん》がかかるため、「処理《しょり》」をせずに、野山《のやま》に産業廃棄物《さんぎょうはいきぶつ》を捨《す》てる「不法投棄《ふほうとうき》」が大《おお》きな問題《もんだい》となっている。

化

決《けつ》！

超常《ちょうじょう》現象《げんしょう》ハンター

第十一回《だいじゅういっかい》 ついにわかったエデンの正体《しょうたい》 産業廃棄物《さんぎょうはいきぶつ》の問題《もんだい》とは

また、「処理《しょり》」をした産業廃棄物《さんぎょうはいきぶつ》は「最終処分《さいしゅうしょぶん》場《じょう》」へと運《はこ》ばれて、埋《う》め立《た》てられるが、今《いま》のままでは、あと約《やく》20年《ねん》で日本《にほん》にある「最終処分場《さいしゅうしょぶんじょう》」はごみでいっぱいになってしまうという。

産業廃棄物《さんぎょうはいきぶつ》の問題《もんだい》は、快適《かいてき》に暮《く》らす私《わたし》たち自身《じしん》の問題《もんだい》でもあるのだ。

植物園《しょくぶつえん》の地下《ちか》にあった
巨大《きょだい》な廃棄所《はいきじょ》

日本《にほん》の絶滅危惧《ぜつめつきぐ》動植物《どうしょくぶつ》

1964年《ねん》に国《くに》の天然《てんねん》記念物《きねんぶつ》に指定《してい》されたニホンカワウソ。明治時代《めいじじだい》に毛皮目当《けがわめあ》てで大量《たいりょう》に捕獲《ほかく》され、河川《かせん》の汚染《おせん》も進《すす》んだことで数《かず》が激減《げきげん》。すでに絶滅《ぜつめつ》してしまったとみられている。（M・A）

廃棄物《はいきぶつ》の
た。適切《てきせつ》
ではなく
埋《う》めて隠《かく》
設《せつ》は、キ
の花森《はなもり》
もたら

よかったわね！　守里《まもり》さんの持《も》っていた花火《はなび》のおかげで脱出《だっしゅつ》できて。

そうそう！　ぼく、花火《はなび》が水《みず》の中《なか》でも燃《も》えるなんて知《し》らなかったよ。

厚紙《あつがみ》を巻《ま》いて作《つく》った筒状《つつじょう》の花火《はなび》だったから、水《みず》がしみこみにくかったんだ。
じゃあ、普通《ふつう》の手持《ても》ち花火《はなび》だとどうなるか……
健太《けんた》くん、火《ひ》をつけて、バケツに張《は》った水《みず》の中《なか》に入《い》れてみてごらん。

よ～し！　火《ひ》をつけて、バケツの中《なか》に……あれ？　すぐに火《ひ》が消《き》えちゃった。

そうなんだ。紙《かみ》が薄《うす》い手持《ても》ち花火《はなび》は、水《みず》がしみこみやすいんだよ。
火薬《かやく》のまわりをセロハンテープでグルグル巻《ま》くと、火《ひ》が消《き》えにくくなるよ。

じゃあグルグルに巻《ま》いてと……。ホントだ、火《ひ》が消《き》えないね！　楽《たの》し～い！

ちょっと何《なに》してるの!?　まじめに事件《じけん》を振《ふ》り返《かえ》りなさいよ～！

自然《しぜん》の力《ちから》を借《か》りるという守里《まもり》の言葉《ことば》……。
いったい、何《なに》をするつもりなんだろう？

最大《さいだい》の危機《きき》！
崩壊《ほうかい》する町《まち》

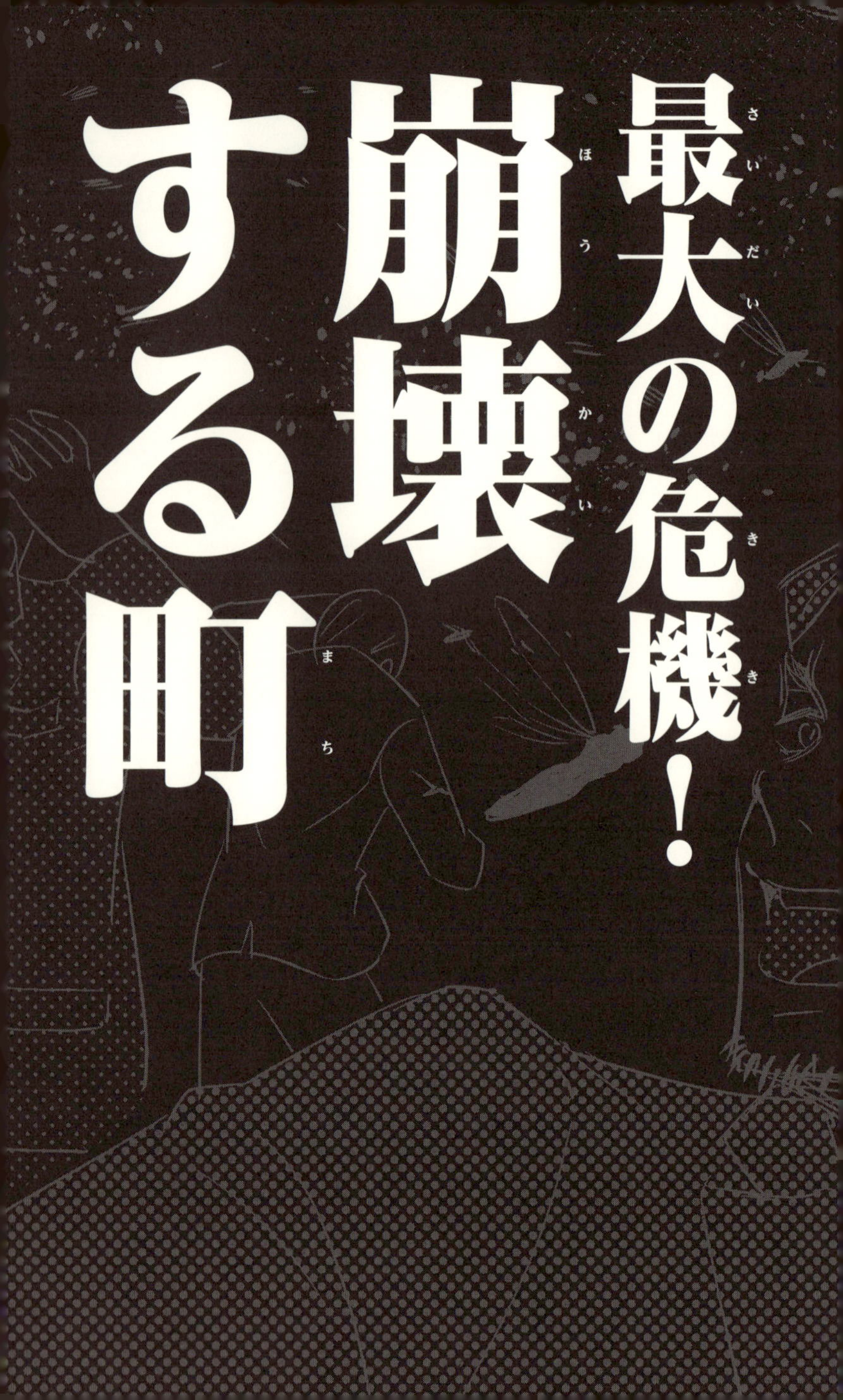

超《ちょう》・自《し》然《ぜん》現《げん》象《しょう》12

エデン・プロジェクト

真実《しんじつ》たちは、飛《と》び出《だ》していった守里《まもり》を追《お》って階段《かいだん》を上《のぼ》り、花森《はなもり》グリーンワールドに戻《もど》ってきた。真実《しんじつ》と健太《けんた》は守里《まもり》を必死《ひっし》に捜《さが》すが、どこにも見当《みあ》たらない。

空《そら》には太陽《たいよう》がのぼっている。地下《ちか》でとらえられている間《あいだ》に朝《あさ》になっていたようだ。

そんな彼《かれ》らのもとに、美希《みき》が駆《か》け寄《よ》ってきた。

「よかった、みんな無事《ぶじ》だったのね。隠《かく》れてずっと待《ま》ってたのよ！」

「美希《みき》ちゃん、守里《まもり》の姿《すがた》を見《み》なかったかい？」

江古田《えこた》がたずねると、美希《みき》は「ええっと」と答《こた》えた。

「さっき、グリーンワールドを飛《と》び出《だ》していったけど」

真実《しんじつ》たちは、花森《はなもり》グリーンワールドを覆《おお》うドームのガラス越《ご》しに外《そと》を見《み》る。

すると、空《そら》にあるものが見《み》えた。

「あれは！」。声《こえ》をあげた真実《しんじつ》たちは、ドームを飛《と》び出《だ》していった。


そのころ、真実《しんじつ》たちと入《い》れ替《か》わるように、清井《きよい》は世界各国《せかいかっこく》から訪《おとず》れた環境大臣《かんきょうだいじん》たちを、花《はな》森《もり》グリーンワールドに案内《あんない》していた。

「ここは、ごみや産業廃棄物《さんぎょうはいきぶつ》から生《う》まれたエネルギーや肥料《ひりょう》を活用《かつよう》した植物園《しょくぶつえん》です。このクリーンで完璧《かんぺき》にエコなしくみを、モデルタウン『エデン』全体《ぜんたい》に広《ひろ》げる予定《よてい》です。人《ひと》は、自然《しぜん》とともに歩《あゆ》むべきなのです。『エデン・プロジェクト』は、まさに未来《みらい》の人《ひと》と自然《しぜん》のあるべき姿《すがた》を実現《じつげん》しているのです」

清井《きよい》の言葉《ことば》に、視察団《しさつだん》は大《おお》きくうなずく。清井《きよい》は思《おも》わず、満面《まんめん》の笑《え》みを浮《う》かべた。だがそのとき、あたりが急《きゅう》に暗《くら》くなった。

「なんだ？」

と、清井《きよい》は空《そら》を見上《みあ》げる。途端《とたん》に目《め》を見開《みひら》いた。

バサバサバサバサッ。羽《はね》を大《おお》きく広《ひろ》げたバッタが、空《そら》を飛《と》んでいる。1匹《ぴき》ではない。数《かぞ》えきれないほどの無数《むすう》のバッタが、空一面《そらいちめん》を覆《おお》っていたのだ。

「なぜバッタが?? うわ、うわあああ！」

バッタたちは次々《つぎつぎ》と園内《えんない》に侵入《しんにゅう》すると、草木《くさき》をむさぼりはじめた。

園《えん》の外《そと》で真実《しんじつ》たちは、飛《と》び交《か》う無数《むすう》のバッタを見《み》つめていた。バッタは足元《あしもと》の草《くさ》むらからも次々《つぎつぎ》と飛《と》び出《だ》し、花森《はなもり》グリーンワールドを覆《おお》い、さらに園内《えんない》へも飛《と》んでいく。健太《けんた》は、ご

くりとつばをのみ込《こ》んだ。

「どうしてこんなにバッタが？　まさかたたりなんじゃ？　自然《しぜん》が怒《おこ》って、清井社長《きよいしゃちょう》に罰《ばつ》を与《あた》えたんだよ！」

しかしそれを聞《き》いた真実《しんじつ》は、首《くび》を大《おお》きく横《よこ》に振《ふ》った。

「健太《けんた》くん、そうじゃないよ。これは、守里《まもり》さんのしわざだ！」

真実《しんじつ》は、上空《じょうくう》を見《み》つめた。そこには、数台《すうだい》の黒《くろ》いドローンが飛《と》んでいた。バッタたちは、ドローンに引《ひ》き寄《よ》せられるように動《うご》いている。

「あのドローンを見《み》てほしい。おそらく、守里《まもり》さんとダークアイのメンバーがあのドローンを操作《そうさ》しているんだ」

「まさか、守里《まもり》さんがあのドローンでバッタを操《あやつ》っているっていうの？　そんなことって可能《かのう》なの？」

「くわしい方法《ほうほう》までは、わからない……。ただ、ここにこんなにたくさんバッタがいる理由《りゆう》はわかる。エデン・プロジェクトによって、この山《やま》は、いたるところで土地《とち》が切《き》り開《ひら》かれた。そこにバッタが好《この》む草《くさ》が増《ふ》え、天敵《てんてき》

ドローン
無線《むせん》で遠《とお》くから操作《そうさ》できる小型《こがた》の無人航空機《むじんこうくうき》。

がいないこともあって、どんどん増《ふ》えていったんだ」

「そういえば、ここに来《く》るときも、バッタがすごくいた気《き》がするわ」

ハッとする美希《みき》。一方《いっぽう》、健太《けんた》は草木《くさき》をむさぼるバッタを見《み》て首《くび》をかしげた。

「このバッタたち、何《なに》か変《へん》だよ？　よく見《み》る緑色《みどりいろ》じゃなくて茶色《ちゃいろ》だよ？」

すると、真実《しんじつ》が答《こた》えた。

「バッタの体《からだ》が茶色《ちゃいろ》なのは、これだけ多《おお》くのバッタが集《あつ》まったせいだよ。健太《けんた》くんの言《い》うとおり、バッタの体《からだ》は普通《ふつう》は緑色《みどりいろ》をしている。だけど、エデン・プロジェクトの開発《かいはつ》によって増《ふ》えすぎたバッタたちは、エサを求《もと》めて密集《みっしゅう》するようになっていった。その結果《けっか》、『群生《ぐんせい》バッタ』になって、茶《ちゃ》色《いろ》の体《からだ》に変《か》わったんだ。彼《かれ》らは色《いろ》が変《か》わるだけじゃなく、凶暴《きょうぼう》になり、飛《と》ぶ距離《きょり》も1日《にち》100キロを超《こ》えるようになるといわれている。そして、『蝗害《こうがい》』を起《お》こすんだ」

凶暴《きょうぼう》になった群生《ぐんせい》バッタは、田畑《たはた》の作物《さくもつ》だけでなく、すべての草木《くさき》を短《たん》

蝗害《こうがい》
大量《たいりょう》に発生《はっせい》したバッタ類《るい》が移動《いどう》しながら農作《のうさく》物《ぶつ》を食《く》い荒《あ》らす被害《ひがい》のこと。古《ふる》くは古代《こだい》エジプトや中国《ちゅうごく》でも被害《ひがい》が記録《きろく》され、現在《げんざい》でもアフリカなどで被害《ひがい》が報《ほう》告《こく》されている（244ページ参照）。

時間《じかん》で食《た》べ尽《つ》くしてしまう。その被害《ひがい》が「蝗害《こうがい》」だ、と真実《しんじつ》は説明《せつめい》した。

「守里《まもり》、なんてことを……」

江古田《えこた》は空《そら》を飛《と》ぶバッタの群《む》れを見《み》て、あぜんとする。

そのとき、花森《はなもり》グリーンワールドの一角《いっかく》にいる、清井《きよい》と視察団《しさつだん》の姿《すがた》が見《み》えてきた。清井《きよい》は、視察団《しさつだん》に向《む》かって何《なに》かを必死《ひっし》に叫《さけ》んでいた。

「みなさん、早《はや》く移動《いどう》しましょう。ここは危険《きけん》です。さあ、早《はや》く！」

あわてた様子《ようす》の清井《きよい》は、警備員《けいびいん》に視察団《しさつだん》を建物内《たてものない》の一室《いっしつ》に連《つ》れていくよう、命《めい》じている。

「バッタに襲《おそ》われないように、みんなを避難《ひなん》させてるのかな？」

「避難《ひなん》させているというよりは、園内《えんない》でほかに見《み》せたくないものがあるようにも見《み》えるけど……」

真実《しんじつ》が健太《けんた》にそう答《こた》えていると、清井《きよい》は空《そら》に浮《う》かぶドローンをにらんだ。

「あれでバッタたちを操作《そうさ》しているんだな。くっ、目的《もくてき》はわかっているぞ！」

清井《きよい》は植物園《しょくぶつえん》を飛《と》び出《だ》し、ドローンのほうへと駆《か》けだす。

「ぼくたちも行《い》こう！」

真実《しんじつ》はそう言《い》うと、清井《きよい》の後《あと》を追《お》った。

真実《しんじつ》は清井《きよい》を追《お》いかけながら、健太《けんた》たちに自分《じぶん》の推理《すいり》を説明《せつめい》した。

「守里《まもり》さんは、『設計図《せっけいず》にものっていない本当《ほんとう》の【エデン】と外《そと》の世界《せかい》をつなぐ秘密《ひみつ》の場所《ばしょ》があって、それを自然《しぜん》の力《ちから》を借《か》りて見《み》つけだす』と言《い》っていただろう。自然《しぜん》の力《ちから》、それはおそらく、バッタに草木《くさき》を食《た》べさせることだったんだ」

「『秘密《ひみつ》の場所《ばしょ》』が、草木《くさき》の中《なか》に隠《かく》されてるってことね。だけどそんな場所《ばしょ》、どこにあるのかしら？」

美希《みき》の疑問《ぎもん》に、江古田《えこた》は首《くび》をひねる。

「う〜む、私《わたし》たちが見《み》たかぎり、そんなものどこにもなかった。本当《ほんとう》のエデンと外《そと》の世界《せかい》をつなぐということは、入《い》り口《ぐち》ということだよねえ……」

「草木《くさき》で隠《かく》された入《い》り口《ぐち》……。逆《ぎゃく》に言《い》うと、草木《くさき》がないと隠《かく》すことができないほどの大《おお》きさの入《い》り口《ぐち》ということかも。もしかして、さっきの清井社長《きよいしゃちょう》の行動《こうどう》は」

真実《しんじつ》が何《なに》かを言《い》おうとした瞬間《しゅんかん》、健太《けんた》が突然《とつぜん》立《た》ち止《ど》まった。

「ねえ、あそこに何《なに》かあるよ！」

「まさか、秘密《ひみつ》の場所《ばしょ》があったの⁇」

美希《みき》は健太《けんた》が見《み》ている木々《きぎ》の向《む》こうを眺《なが》める。すると、大《おお》きな機械《きかい》の羽根《はね》がわずかに見《み》えていた。

「あれは、ヘリコプターじゃないのかい？」

「どうして、あんなところにそんなものがあるのかしら？」

すると、真実《しんじつ》がヘリコプターのほうへと走《はし》った。

「あそこに、守里《まもり》さんがいるはずだ！」

「守里《まもり》が⁉」

江古田《えこた》もあわてて後《あと》に続《つづ》く。

「真実《しんじつ》くん！　江古田《えこた》さん！」

健太《けんた》と美希《みき》も二人《ふたり》を追《お》った。

木々《きぎ》を抜《ぬ》け、少《すこ》し開《ひら》けた場所《ばしょ》に、黒《くろ》いヘリコプターが止《と》まっていた。

眼下《がんか》には、花森町《はなもりちょう》の町並《まちな》みが、その向《む》こうには、海《うみ》が見《み》えている。

一角《いっかく》に、守里《まもり》と、動物《どうぶつ》の頭《ず》がい骨《こつ》のマスクをかぶっているダークアイのメンバーたちがいる。彼《かれ》らはみな、ドローンを操縦《そうじゅう》するためのコントローラーを持《も》っていた。

「守里《まもり》さん！」

真実《しんじつ》たちは、守里《まもり》たちのそばに駆《か》け寄《よ》った。守里《まもり》は、少《すこ》し驚《おどろ》いた表情《ひょうじょう》を浮《う》かべた。

「あなたたち……、どうして安全《あんぜん》な場所《ばしょ》に避難《ひなん》していないの？」

「それより、バッタたちを早《はや》く移動《いどう》させてください」

「移動《いどう》？　なるほど、私《わたし》たちがバッタをコントロールしていることに気《き》づいたのね。だけど、私《わたし》たちはまだ、バッタをここから移動《いどう》させるつもりはないわ」

守里《まもり》は、バッタの大群《たいぐん》を見《み》つめる。真実《しんじつ》たちは守里《まもり》と対峙《たいじ》した。

無数《むすう》の茶色《ちゃいろ》いバッタたちが、花森《はなもり》グリーンワールドと、周辺《しゅうへん》の敷地《しきち》の草木《くさき》をむさぼっていた。上空《じょうくう》には黒《くろ》いドローンが飛《と》んでいる。

それを操縦《そうじゅう》しているのは、守里《まもり》とダークアイのメンバーたちである。

「真実《しんじつ》くん、このままじゃバッタたちは町《まち》のほうまで行《い》っちゃうよ！」

健太《けんた》は、あせりながら眼下《がんか》に見《み》える町《まち》を眺《なが》めた。バッタたちは花森山《はなもりやま》を開発《かいはつ》したモデルタウン「エデン」の敷地内《しきちない》にいる。しかしその山《やま》のふもとには、花森町《はなもりちょう》の市街地《しがいち》が広《ひろ》がっているのだ。

守里《まもり》は首《くび》を横《よこ》に大《おお》きく振《ふ》った。

「安心《あんしん》して。町《まち》にはバッタは行《い》かせない。私《わたし》たちはちゃんと、バッタをコントロールできているわ」

それを聞《き》き、健太《けんた》と美希《みき》は、バッタの群《む》れを見《み》る。

「たしかにバッタはいっぱい集《あつ》まってるけど、町《まち》のほうへは行《い》ってないよね」

「ええ、だけどどうして、こんなにうまくコントロールできてるの？」

「教《おし》えてあげたいけど、それは後《あと》よ。すべての草木《くさき》をバッタたちに食《た》べさせて、清井《きよい》の悪事《あくじ》を表《おもて》に出《だ》さないと」

けわしい表情《ひょうじょう》の守里《まもり》に、健太《けんた》たちはたじろぐ。

「守里《まもり》……」

江古田《えこた》も何《なに》も言《い》えないようだ。

そんななか、ドローンを見《み》つめていた真実《しんじつ》は、そこに箱《はこ》のようなものが取《と》り付《つ》けられていることに気《き》がついた。

「あの箱《はこ》は、空気穴《くうきあな》のような穴《あな》がいくつも開《あ》いている……」

箱《はこ》にはいくつも丸《まる》い穴《あな》が開《あ》いていて、中《なか》に何《なに》かが入《はい》っているようだ。

そのとき、健太《けんた》が大声《おおごえ》をあげた。

「わ、岩《いわ》が動《うご》いたよ！」

真実《しんじつ》たちは、健太《けんた》が見《み》ているほうを眺《なが》める。すると、岩《いわ》のようなかたまりがゆっくりと動《うご》いていた。

「健太《けんた》くん、あれはバッタだ。茶色《ちゃいろ》いバッタが1カ所《しょ》に集《あつ》まっていて、岩《いわ》のように見《み》えているだけだよ」

「なるほど。だけどあのあたりには草《くさ》はないよね？　もう食《た》べちゃったのかな？」

「草《くさ》がないのに、1カ所《しょ》に集《あつ》まっている……？」

真実《しんじつ》は、目《め》を大《おお》きく見開《みひら》いた。

「なるほど。ドローンに取《と》り付《つ》けた箱《はこ》の秘密《ひみつ》がわかった」

真実《しんじつ》は、守里《まもり》のほうを見《み》た。

「科学《かがく》で解《と》けないナゾはない。守里《まもり》さん、あなたはあるものを使《つか》って、バッタの群《む》れをコントロールしているんですね！」

守里《まもり》は、どうやってバッタをコントロールしているのだろうか？

解《かい》決《けつ》編《へん》

「真実《しんじつ》くん、守里《まもり》さんはどうやって、バッタをコントロールしてるの？」

「健太《けんた》くん、※長野県《ながのけん》のハチの事件《じけん》を覚《おぼ》えているかい？」

「最初《さいしょ》の取材旅行《しゅざいりょこう》に行《い》ったときの、あのハチ？」

それは、ハチに何度《なんど》も襲《おそ》われる養蜂業者《ようほうぎょうしゃ》の男《おとこ》の人《ひと》の事件《じけん》のことである。

「あのときはええっと……、そうだ！『フェロモン』が原因《げんいん》だったんだよね」

「そう。そして今回《こんかい》のバッタたちも、同《おな》じような『フェロモン』によってコントロールされているんだ」

真実《しんじつ》は、空《そら》を飛《と》ぶ黒《くろ》いドローンを指《ゆび》さした。

「あのドローンには、箱《はこ》が取《と》り付《つ》けられている。あの箱《はこ》から、あるフェロモンが流《なが》れていたんだ。そのフェロモンはおそらく、通称《つうしょう》・４ＶＡ《ブイエー》といわれる『４-ビニルアニソール』だ」

そう言《い》うと、真実《しんじつ》は守里《まもり》のほうを見《み》た。

「いま大量発生《たいりょうはっせい》しているバッタは、トノサマバッタだね。４ＶＡ《ブイエー》は、トノサマバッタが５匹《ひき》ぐらい集《あつ》まると、体《からだ》から放出《ほうしゅつ》されるようになる物質《ぶっしつ》だ。そして、周囲《しゅうい》のバッタをさらに引《ひ》き寄《よ》せる効果《こうか》があるんだ❷。引《ひ》き寄《よ》せられたバッタは、また４ＶＡ《ブイエー》を放出《ほうしゅつ》する。それがだんだ

※前編参照《ぜんぺんさんしょう》

2…トノサマバッタを動《うご》かすフェロモン

フェロモンの
詳《くわ》しい解説《かいせつ》は
前編《ぜんぺん》34p

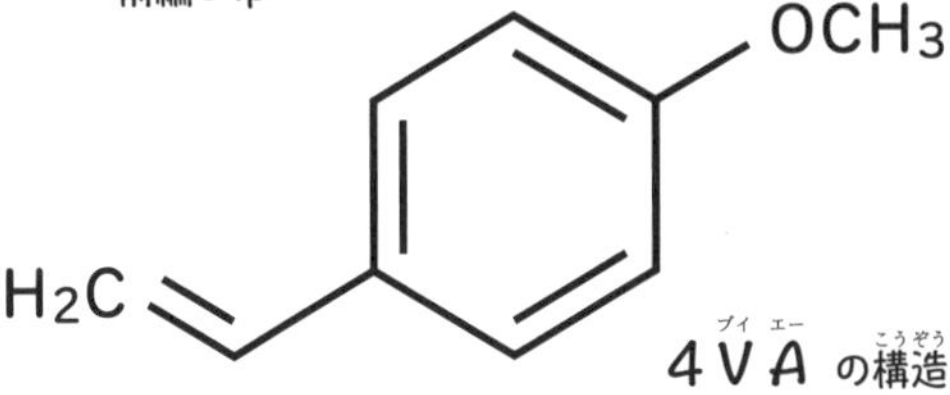

4VA《ブイ エー》の構造式《こうぞうしき》
(4-ビニルアニソール)

トノサマバッタの
触覚《しょっかく》にある細胞《さいぼう》で
4VAを検出《けんしゅつ》する。

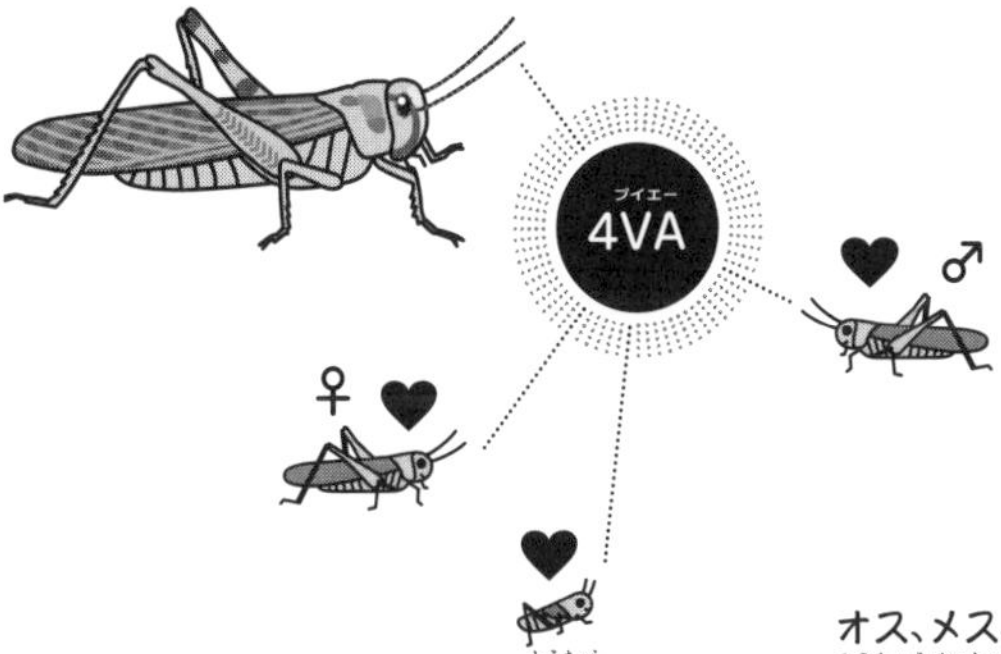

幼虫《ようちゅう》

オス、メス、
幼虫《ようちゅう》、成虫《せいちゅう》を問《と》わず
4VAに引《ひ》き寄《よ》せられる

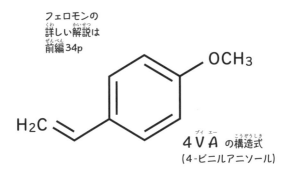

ん広《ひろ》がっていって、巨大《きょだい》な群《む》れを作《つく》って生活《せいかつ》するようになる。エサがなくてもバッタが集《あつ》まっているのは、そのせいだ」

真実《しんじつ》は、守里《まもり》を静《しず》かに見《み》た。

「あなたは4VA《ブイエー》を人工的《じんこうてき》に作《つく》り出《だ》し、穴《あな》の開《あ》いた箱《はこ》の中《なか》に入《い》れてドローンに取《と》り付《つ》け、それをバッタにかがせて誘導《ゆうどう》した。バッタにエデンの敷地《しきち》の草木《くさき》を食《た》べさせ、本当《ほんとう》のエデンと外《そと》の世界《せかい》をつなぐ秘密《ひみつ》の場所《ばしょ》を見《み》つけだそうとしたんだ。そしてその秘密《ひみつ》の場所《ばしょ》とは、草木《くさき》がないと隠《かく》すことができないほどの大《おお》きさの入《い》り口《ぐち》、おそらく、産業廃棄物《さんぎょうはいきぶつ》を積《つ》んだトラックがエデンに入《はい》るための搬入口《はんにゅうぐち》ですね？」

その言葉《ことば》に、守里《まもり》は戸惑《とまど》いながらも、小《ちい》さくうなずいた。

「さすが、真実《しんじつ》くんね。そのとおりよ」

守里《まもり》は、バッタに荒《あ》らされボロボロになった敷地《しきち》をじっと見《み》つめた。

「もう少《すこ》しでバッタたちは草木《くさき》を食《た》べ尽《つ》くすわ。そうすれば、隠《かく》されていた搬入口《はんにゅうぐち》も出《で》てくるはず。視察団《しさつだん》がそれを見《み》れば、清井《きよい》は終《お》わりよ」

守里《まもり》はけわしい表情《ひょうじょう》のまま、一瞬《いっしゅん》わずかに笑《え》みを浮《う》かべた。

そのとき、近《ちか》くの茂《しげ》みから、数人《すうにん》の人物《じんぶつ》が飛《と》び出《だ》してきた。

「そこにいたのか! それを渡《わた》せ!」

清井《きよい》と部下《ぶか》たちだ。彼《かれ》らは守里《まもり》たちのもとへ駆《か》け寄《よ》ると、強引《ごういん》にドローンのコントローラーを奪《うば》い取《と》った。

「何《なに》をするの! コントローラーを返《かえ》して!」

「うるさい! 邪魔《じゃま》だ、どけ!」

清井社長《きよいしゃちょう》は声《こえ》をあらげながら、守里《まもり》を突《つ》き飛《と》ばした。

「きゃ〜!」

「守里《まもり》!」

江古田《えこた》は地面《じめん》に倒《たお》れた守里《まもり》に、あわてて駆《か》け寄《よ》る。清井《きよい》はそんな守里《まもり》たちを見《み》て、「ふん」と鼻《はな》で笑《わら》った。

「バッタがいなくなれば、搬入口《はんにゅうぐち》の場所《ばしょ》はバレない。もう少《すこ》しのところだったが、残念《ざんねん》だったな」

清井《きよい》は勝《か》ち誇《ほこ》ったかのような表情《ひょうじょう》を浮《う》かべ、町《まち》のほうを見《み》た。

「まさか！」

「バッタなど、私《わたし》の楽園《らくえん》からすべて追放《ついほう》してやる！」

清井《きよい》はコントローラーを動《うご》かす。上空《じょうくう》を飛《と》んでいた1台《だい》のドローンが大《おお》きく旋回《せんかい》する。清《きよ》井《い》はそのままドローンを町《まち》のほうへと飛《と》ばした。

次《つぎ》の瞬間《しゅんかん》――、バッタたちが一斉《いっせい》にドローンを追《お》って、町《まち》のほうへと飛《と》びはじめた。

「そんな！　真実《しんじつ》くん！　なんとかできないの？」

「ああ、早《はや》く止《と》めないと！」

このままでは、町《まち》のあらゆるものがバッタに襲《おそ》われてしまう。

「ドローンを戻《もど》して！　町《まち》が大変《たいへん》なことになってしまうわ！」

守里《まもり》は必死《ひっし》に叫《さけ》ぶが、清井《きよい》は「うるさい」と怒鳴《どな》った。

「大事《だいじ》なのは、エデン・プロジェクトだ！　町《まち》がどうなろうと、私《わたし》の知《し》ったことではない！」

だが突然《とつぜん》、操縦《そうじゅう》するドローンが大《おお》きく揺《ゆ》れ動《うご》いた。

「なんだ？　コントロールがきかない!?」

「コントローラーの電波《でんぱ》が届《とど》かなくなったのよ！　だから戻《もど》してって言《い》ったでしょ！」

ドローンはそのまま町《まち》のほうへと落《お》ちていく。それを追《お》うように、バッタたちも町《まち》へと下《お》りていった。

「このままじゃ町《まち》が！　真実《しんじつ》くん、どうしよう！」

「バッタたちを移動《いどう》させないと」

瞬間《しゅんかん》、真実《しんじつ》は、あるものに目《め》が留《と》まった。

「そうだ、あれを使《つか》えば、町《まち》を救《すく》える！」


真実《しんじつ》は、黒《くろ》いヘリコプターを指《ゆび》さした。

「守里《まもり》さんは、さっき、『まだ、バッタをここから移動《いどう》させるつもりはない』と言《い》っていた。つまり、エデンの秘密《ひみつ》の搬入口《はんにゅうぐち》が見《み》つかれば、もともと4VA《ブイエー》を使《つか》って、違《ちが》う場所《ばしょ》にバッタを移動《いどう》させるつもりだったんだ。その場所《ばしょ》とは、この近《ちか》くにあり、それでいて、人《ひと》のいない場所《ばしょ》」

真実《しんじつ》は、町《まち》とは反対側《はんたいがわ》の海岸《かいがん》の先《さき》を見《み》つめた。

「それは、花森海岸《はなもりかいがん》の沖《おき》にある無人島《むじんとう》ですね。守里《まもり》さん、早《はや》く！」

「だけど、まだ……」

「このままでは町《まち》が、人々《ひとびと》が、バッタに襲《おそ》われてしまうんですよ」

「だけど……」

「守里《まもり》！」

江古田《えこた》が叫《さけ》ぶように呼《よ》びかけた。

その声《こえ》に、守里《まもり》はハッとする。そして、町《まち》を見《み》た。

「私《わたし》は……、私《わたし》は……、だけど、町《まち》が……。そんなの……、絶対《ぜったい》にしちゃいけない！」

守里《まもり》はあわててヘリに乗《の》り込《こ》む。真実《しんじつ》も乗《の》り込《こ》んだ。

バババババッ。ヘリは大《おお》きな音《おと》を立《た》てて、大空《おおぞら》に舞《ま》い上《あ》がった。機体《きたい》にはロープで箱《はこ》が取《と》り付《つ》けられていて、その中《なか》に4VA《ブイエー》が入《はい》っていた。

ヘリが、町《まち》の上空《じょうくう》を旋回《せんかい》すると、バッタたちが集《あつ》まってきた。

「このまま無人島《むじんとう》のほうへ向《む》かえば」

守里《まもり》はヘリを操縦《そうじゅう》しながらそうつぶやく。だがそのとき、強《つよ》い風《かぜ》が吹《ふ》いた。箱《はこ》が大《おお》きく揺《ゆ》れ、ロープが外《はず》れそうになった。

「そんな！　もうダメ！」

箱《はこ》がなければ、バッタをコントロールすることはできない。守里《まもり》は絶望《ぜつぼう》を感《かん》じる。すると
その瞬間《しゅんかん》、真実《しんじつ》が身《み》を乗《の》り出《だ》した。

「これは絶対《ぜったい》に落《お》とさない！」

真実《しんじつ》は箱《はこ》から伸《の》びたロープをつかむと、守里《まもり》に向《む》かって叫《さけ》んだ。

「守里《まもり》さん、早《はや》く！」

守里《まもり》は、うなずき、急《いそ》いでヘリを海《うみ》のほうへと飛《と》ばす。

無数《むすう》のバッタたちが、ヘリを追《お》って空《そら》を飛《と》んでいく。それはまるで、一《ひと》つの茶色《ちゃいろ》い大《おお》きな
生《い》き物《もの》が、自分《じぶん》の居場所《いばしょ》を求《もと》めてさまよい続《つづ》けているかのようにも見《み》える。

健太《けんた》と美希《みき》、そして江古田《えこた》は、その光景《こうけい》をただじっと見《み》つめ続《つづ》けていた。

茶色《ちゃいろ》いかたまりは、どんどん町《まち》から離《はな》れ、やがて、完全《かんぜん》に見《み》えなくなった。

しばらくして花森山《はなもりやま》に戻《もど》ってきた守里《まもり》は、健太《けんた》たちとともに、清井《きよい》の前《まえ》に立《た》っていた。み

な、清井《きよい》をにらんでいるが、清井《きよい》は不敵《ふてき》な笑《え》みを浮《う》かべていた。

「ふん。そんな目《め》で見《み》てもむだだ。この勝負《しょうぶ》、私《わたし》の勝《か》ちだ！」

清井《きよい》は笑《わら》いながら、守里《まもり》たちに話《はな》しかける。

「一時《いちじ》はどうなることかと思《おも》ったが、残念《ざんねん》ながら本当《ほんとう》の『エデン』の搬入口《はんにゅうぐち》は見《み》つからなかったようだな。川《かわ》に汚水《おすい》をたれ流《なが》していた乗鞍社長《のりくらしゃちょう》の件《けん》をはじめ、私《わたし》の関係《かんけい》する会社《かいしゃ》で起《お》きた騒動《そうどう》も、私《わたし》が関与《かんよ》したという証拠《しょうこ》はどこにもない。つまり、すべてむだな努力《どりょく》だったということだよ。はっはっはっ」

清井《きよい》の高笑《たかわら》いが響《ひび》く。健太《けんた》は何《なに》も言《い》えず、ただくやしそうな顔《かお》をした。

そのとき、真実《しんじつ》が一同《いちどう》の前《まえ》にやってきた。

「悪《わる》いことをすれば、必《かなら》ず報《むく》いを受《う》ける。清井社長《きよいしゃちょう》、あなたも例外《れいがい》じゃない」

真実《しんじつ》の後《うし》ろには、視察団《しさつだん》のメンバーたちがいた。

「どうして、彼《かれ》らが？」

「さっき、みなさんをある場所《ばしょ》に案内《あんない》したんです。ヘリコプターで戻《もど》ってくるとき、上空《じょうくう》から花森《はなもり》グリーンワールドの園内《えんない》で気《き》になる場所《ばしょ》を見《み》つけて。その場所《ばしょ》とは、園内《えんない》の外《はず》れにあ

る、草木《くさき》で覆《おお》われた小高《こだか》い丘《おか》です」

「なんだと！」

「バッタが丘《おか》の草木《くさき》を食《た》べていたとき、あなたは視察団《しさつだん》の人《ひと》たちを園内《えんない》から遠《とお》ざけようとした。そのあなたの行動《こうどう》を見《み》ていて、園内《えんない》かその周辺《しゅうへん》に見《み》せたくないもの、秘密《ひみつ》の搬入口《はんにゅうぐち》があると思《おも》った。その丘《おか》こそが、搬入口《はんにゅうぐち》だったんです」

「いや、あれは、そ、そう、ただの予備《よび》の搬入口《はんにゅうぐち》で」

「中《なか》に入《はい》ればわかる！　清井社長《きよいしゃちょう》、あなたはもう言《い》い逃《のが》れはできない！」

視察団《しさつだん》のメンバーが、清井《きよい》をじっと見《み》つめる。清井《きよい》は反論《はんろん》できなくなった。

「やったわ。私《わたし》の目的《もくてき》をかなえることができたのね！」

うろたえる清井《きよい》の横《よこ》で守里《まもり》は喜《よろこ》ぶ。だが、江古田《えこた》は沈痛《ちんつう》な表情《ひょうじょう》を浮《う》かべた。

「守里《まもり》、おまえの気持《きも》ちはわかる。だけど、こんなことはしちゃいけない」

「けど、これで清井《きよい》の悪事《あくじ》がはっきりした。それに、私《わたし》は最初《さいしょ》から秘密《ひみつ》の搬入口《はんにゅうぐち》を見《み》つけたら、ヘリコプターでバッタたちを無人島《むじんとう》に移動《いどう》させるつもりだったわ」

「守里《まもり》さん。江古田《えこた》さんが言《い》いたいのは、この町《まち》のことだけじゃない。その無人島《むじんとう》についてもです。たしかにそれでバッタの脅威《きょうい》は花森町《はなもりちょう》からは去《さ》りました。だけど、誘導《ゆうどう》した無人島《むじんとう》の生態系《せいたいけい》はくずれてしまうんですよ」

「それは……」

「バッタを使《つか》った作戦《さくせん》は完璧《かんぺき》なように見《み》える。だけど、無人島《むじんとう》の生態系《せいたいけい》がくずれ、バッタが町《まち》のほうへ行《い》くおそれは十分《じゅうぶん》にあった。エデンと同《おな》じように、完璧《かんぺき》なんてものはこの世《よ》に存《そん》在《ざい》しない。どんなことにもリスクはある。あなたはそれがわかっていたから、最後《さいご》の最後《さいご》まででバッタを使《つか》わずにいたんですよね？」

真実《しんじつ》の言葉《ことば》に、守里《まもり》はけわしい表情《ひょうじょう》になる。そして小《ちい》さくうなずくのだった。

「なんなんだ、キミたちは……」

清井《きよい》は、いらだちながら真実《しんじつ》たちを見《み》つめた。

「人《ひと》と自然《しぜん》は共存《きょうぞん》できない。キミたちだって、より豊《ゆた》かで便利《べんり》な生活《せいかつ》を送《おく》りたいだろ？だったら少《すこ》しぐらいのことには目《め》をつぶるべきだ。私《わたし》は本気《ほんき》で今《いま》を生《い》きる人々《ひとびと》の幸《しあわ》せを考《かんが》えていたんだぞ。それなのに、台《だい》なしになってしまった」

清井《きよい》の目《め》には、一点《いってん》のくもりもない。その姿《すがた》に、健太《けんた》たちはゾッとする。すると、真実《しんじつ》が、ゆっくりと口《くち》を開《ひら》いた。

「ぼくたちは、今《いま》を生《い》きる人々《ひとびと》だけじゃなく、未来《みらい》を生《い》きる人々《ひとびと》の幸《しあわ》せも考《かんが》えていかないといけないんです。そして、人《ひと》とともに生《い》きる生《い》き物《もの》のことも」


やがて、警察《けいさつ》が到着《とうちゃく》し、清井《きよい》は不法投棄《ふほうとうき》の疑《うたが》いで署《しょ》に連《つ》れていかれることになった。守里《まもり》も事情《じじょう》を聴《き》きたいと言《い》われ、署《しょ》へと向《む》かう。上空《じょうくう》には、1羽《わ》のタカが飛《と》んでいる。真実《しんじつ》はふとタカを見《み》て、守里《まもり》に声《こえ》をかけた。

「清井社長《きよいしゃちょう》がエデン・プロジェクトの発表《はっぴょう》をしたとき、ファフロツキーズ現象《げんしょう》が起《お》きて、空《そら》からごみが落《お》ちてきました。あれは、あのタカを利用《りよう》したんですね？」

ごみを入《い》れた袋《ふくろ》を風船《ふうせん》やアドバルーンで飛《と》ばし、それが演説《えんぜつ》していた清《きよ》井《い》の真上《まうえ》に来《き》たとき、あのタカに袋《ふくろ》を突《つ》かせたのだ。結果《けっか》、空《そら》からごみが落《お》ちてきたのだと、真実《しんじつ》は考《かんが》えていた。

ハリスホーク
モモアカノスリとも呼《よ》ばれる。集団《しゅうだん》で狩《か》りをする性質《せいしつ》があり、日本《にほん》でも鷹《たか》狩りなどに用《もち》いられる。

「あの子《こ》の名前《なまえ》は、ガイア。ハリスホークという種類《しゅるい》のタカよ。すんでいた森《もり》がここと同《おな》じように開発《かいはつ》されて、けがを負《お》っていたところを助《たす》けたの。私《わたし》たちがエデン・プロジェクトの建設記念《けんせつきねん》セレモニーを乗《の》っ取《と》ったときも、ガイアに手伝《てつだ》ってもらったわ」

それは、清井《きよい》が赤《あか》い液体《えきたい》だらけになった騒動《そうどう》のことだ。

「たしかにあのとき、セレモニー会場《かいじょう》には風船《ふうせん》が落《お》ちていて、上空《じょうくう》にタカが舞《ま》っていました。あれが、ガイアだったんですね」

真実《しんじつ》は、そう振《ふ》り返《かえ》った。

「それにしても、やっぱりあなたは名探偵《めいたんてい》ね。よくそれに気《き》づいたわ」

守里《まもり》はそう言《い》うと、真実《しんじつ》をじっと見《み》つめた。

「……真実《しんじつ》くん、町《まち》を守《まも》ってくれてありがとう」

守里《まもり》は、パトカーに乗《の》せられる。すると、江古田《えこた》が守里《まもり》に駆《か》け寄《よ》った。

「私《わたし》も一緒《いっしょ》に行《い》きます。……守里《まもり》、父《とう》さんは、いつだっておまえの味方《みかた》だ」

「父《とう》さん……」

守里《まもり》のほおに涙《なみだ》がつたう。

「ごめんなさい、本当《ほんとう》にごめんなさい――」

守里《まもり》は、はじめて謝《あやま》るのだった。

12

SCIENCE TRICK DATA FILE

科学《かがく》トリック データファイル

蝗《こう》害《がい》の恐《おそ》ろしさ

最近《さいきん》でも、2020年《ねん》にアフリカでバッタが大発生《だいはっせい》し、1日《にち》あたり3万《まん》5000人分《にんぶん》の食料《しょくりょう》を食《く》い荒《あ》らす被害《ひがい》をもたらしました。日本《にほん》でも歴史上《れきしじょう》たびたびバッタの大量発生《たいりょうはっせい》が起《お》きています。アフリカで蝗害《こうがい》を起《お》こすのはサバクトビバッタ、日本《にほん》ではトノサマバッタ（下写真《したしゃしん》）です。

群生相《ぐんせいそう》

まわりにたくさん仲間《なかま》がいると褐色《かっしょく》の群生相《ぐんせいそう》になる。羽《はね》が長《なが》く、飛《と》ぶのに適《てき》していて、「蝗害《こうがい》」を引《ひ》き起《お》こすことも

孤独相《こどくそう》

まわりにあまり仲間《なかま》がいないときは緑色《みどりいろ》で、後《うし》ろ足《あし》が長《なが》く、跳《は》ねるのに適《てき》した体《からだ》になる

1カ月後《げつご》。バッタは駆除《くじょ》され、エデン・プロジェクトも中止《ちゅうし》となった。

清井《きよい》と守里《まもり》のことは連日《れんじつ》、新聞《しんぶん》やテレビで報道《ほうどう》されていたが、少《すこ》しずつそれも落《お》ち着《つ》きつつある。花森町《はなもりちょう》には、平和《へいわ》が戻《もど》っていた。

「どうすれば、自然《しぜん》と人間《にんげん》は共存《きょうそん》できるのかな？」

学校《がっこう》から帰《かえ》りながら、健太《けんた》は真実《しんじつ》と美希《みき》に言《い》う。守里《まもり》たちは、生《い》き物《もの》の環境《かんきょう》を守《まも》りたいだけだったのだ。

「それは、とても難《むずか》しい問題《もんだい》だね」

そう言《い》った真実《しんじつ》は、健太《けんた》と美希《みき》を見《み》た。

「江古田《えこた》さんがぼくたちに取材《しゅざい》を依頼《いらい》してきたのは、ただ怪奇現象《かいきげんしょう》のナゾを解《と》いてほしかったからだけじゃないと思《おも》う。全国各地《ぜんこくかくち》の自然《しぜん》や生《い》き物《もの》たちを直接見《ちょくせつみ》ることによって、その大切《たいせつ》さを知《し》ってほしかったんだよ」

それを聞《き》き、健太《けんた》と美希《みき》は大《おお》きくうなずいた。

「そういえば、江古田《えこた》さん、新聞社《しんぶんしゃ》を辞《や》めて、フリーのジャーナリストになったらしいわよ。生《い》き物《もの》と自然《しぜん》のことをもっと取材《しゅざい》していきたいんだって」

「そうなんだ。それはすごくいいことだね!」

「一人《ひとり》ひとりの小《ちい》さな行動《こうどう》が、きっと未来《みらい》を変《か》える。ぼくたちも、今《いま》まで以上《いじょう》に、生《い》き物《もの》と自然《しぜん》のことを考《かんが》えていかないとね」

「うん! ぼく、将来《しょうらい》は獣医《じゅうい》になりたいかも」

「いいわね、健太《けんた》くん。私《わたし》は自然《しぜん》を守《まも》るジャーナリストになりたいわ」

真実《しんじつ》はそれを聞《き》き、ほほえむ。空《そら》には、どこまでも青空《あおぞら》が広《ひろ》がっていた。


北海道《ほっかいどう》の広大《こうだい》な草原《そうげん》。一人《ひとり》の女性《じょせい》が草原《そうげん》にある岩場《いわば》に座《すわ》っていた。

守里《まもり》だ。その目《め》は、力《ちから》がなく、どこか悲《かな》しそうだった。

やがて、そんな守里《まもり》のもとに、数人《すうにん》が歩《あゆ》み寄《よ》ってきた。

「ここにいたのかい、守里《まもり》」

それは、江古田《えこた》である。後《うし》ろには、目《め》を輝《かがや》かせた子《こ》どもたちがいた。

「ダークアイが過激《かげき》な行動《こうどう》をやめて、動物《どうぶつ》たちを守《まも》る施設《しせつ》をはじめたと聞《き》いたから、取材《しゅざい》に来《き》たんだよ」

「そうなのね……。それで、その子《こ》たちは？」

「彼《かれ》らは真実《しんじつ》くんたちが取材《しゅざい》した記事《きじ》を読《よ》んで、生《い》き物《もの》と自然《しぜん》に興味《きょうみ》を持《も》ってくれたんだよ。守里《まもり》の話《はなし》を聞《き》きたいと言《い》うから、連《つ》れてきたんだ」

「私《わたし》の、話《はなし》？」

「ああ、守里《まもり》。すべてはこれからだ。だから、みんなに聞《き》かせてやってくれないかな？　人《ひと》と生《い》き物《もの》、そして自然《しぜん》とのかかわり方《かた》を」

守里《まもり》は戸惑《とまど》いながらも、子《こ》どもたちを見《み》る。彼《かれ》らはワクワクした表情《ひょうじょう》で、守里《まもり》を見《み》つめていた。

「え、ええ。そうね。話《はな》したいことは、いっぱいあるから」

守里《まもり》は岩場《いわば》から立《た》ち上《あ》がると、笑顔《えがお》で子《こ》どもたちにそう言《い》った。

青空《あおぞら》の中《なか》、ガイアが飛《と》んでいる。その姿《すがた》は、どこか幸《しあわ》せそうだった。

See you
in the next mystery!

トノサマバッタも
大発生《だいはっせい》するんだね

毎朝新聞

謎《なぞ》の集団《しゅうだん》「ダークアイ」の正体《しょうたい》は、環境保護《かんきょうほご》を訴《うった》える目的《もくてき》のもとに集ま

化

決《けつ》！
超常現象ハンター

最終回《さいしゅうかい》

ダークアイの新《あら》たな試《こころ》み
自然《しぜん》と生《い》き物《もの》たちの光《ひかり》になる

過激《かげき》な行動《こうどう》をやめたダークアイは現在《げんざい》、北海《ほっかい》道《どう》の広大《こうだい》な草原《そうげん》で、新《あたら》しい試《こころ》みに挑戦《ちょうせん》している。行《い》き場《ば》を失《うしな》った動物《どうぶつ》たちを保護《ほご》するための施設《しせつ》を運営《うんえい》し、自然《しぜん》と生《い》き物《もの》、そして人間《にんげん》が、仲良《なかよ》く共《きょう》存《ぞん》できる世界《せかい》をつくるための活動《かつどう》を開始《かいし》したのだ。リーダーの江古田守里《えこたまもり》氏《し》は、「人間一人《にんげんひとり》ひとりの意識《いしき》を変《か》えていきたい」と話《はな》し、「人間《にんげん》は一人《ひとり》で生《い》きているわけではない。自然《しぜん》の中《なか》で、生《い》き物《もの》たちとともに暮《く》らしているのです」と続《つづ》けた。施設《しせつ》には、毎週《まいしゅう》たくさんの子どもたちが見学《けんがく》に訪《おとず》れるのだという。「直接《ちょくせつ》、自然《しぜん》に触《ふ》れ、生《い》き物《もの》たちと接《せっ》することによって、これからの世界《せかい》に何《なに》が大切《たいせつ》なのかを考《かんが》えてほしい」そう語《かた》る江古田氏《えこたし》には、希望《きぼう》に満《み》ちた未来《みらい》が見《み》えているようだ。

北海道《ほっかいどう》の地《ち》で子《こ》どもたちと触《ふ》れ合《あ》う江古田守里氏《えこたまもりし》（右端《みぎはし》）

日本《にほん》の絶滅危惧《ぜつめつきぐ》動植物《どうしょくぶつ》

明治以降《めいじいこう》急激《きゅうげき》に駆除《くじょ》され、1905年《ねん》を最後《さいご》に確実《かくじつ》な生息情報《せいそくじょうほう》がなく、絶滅《ぜつめつ》したとされているニホンオオカミ。「ダークアイ」のマスクは、ニホンオオカミの頭《ず》がい骨《こつ》がモチーフだ。（M・A）

が起《お》こし
すべてみ
ではない
生《せい》してい
したこと
岸《きし》の沖《おき》
きな被

今回《こんかい》は全国《ぜんこく》いろんなところに取材《しゅざい》に行《い》ったよね。

おいしいものも食《た》べたし、なにより今《いま》まで以上《いじょう》に自然《しぜん》と生《い》き物《もの》のことを考《かんが》えるようになったわ。

生《い》き物《もの》は、人《ひと》の言葉《ことば》をしゃべらない。だからぼくたち人間《にんげん》は、生《い》き物《もの》の気持《きも》ちになって考《かんが》えていかなくちゃいけないんだ。この世界《せかい》は人間《にんげん》だけのものじゃないと、今回《こんかい》の取材《しゅざい》で思《おも》ったよ。

ぼくも、大好《だいす》きな昆虫《こんちゅう》に、今《いま》まで以上《いじょう》に話《はな》しかけるようにするよ。

今《いま》まで以上《いじょう》って、以前《いぜん》から話《はな》しかけてたってこと？

健太《けんた》くんは、誰《だれ》とでも友達《ともだち》になれるんだね。

宇宙人《うちゅうじん》とも、友達《ともだち》になれそうよね。

宇宙人《うちゅうじん》、いいね～。次《つぎ》は、火星《かせい》に行《い》きたいね！

自然《しぜん》と生《い》き物《もの》について世界中《せかいじゅう》で取材《しゅざい》をして、いずれは本《ほん》を出《だ》すつもりだよ。

その後《ご》の科学探偵《かがくたんてい》「新《あたら》しい挑戦《ちょうせん》」

著者紹介

佐東みどり

脚本家・作家。アニメ「サザエさん」「ハローキティとあそぼう！まなぼう！」などを担当。小説に「恐怖コレクター」シリーズ、「謎新聞ミライタイムズ」シリーズなどがある。

（執筆：12章、エピローグ）

石川北二

監督・脚本家。脚本家として、映画「かずら」（共同脚本）、映画「燐寸少女 マッチショウジョ」などを担当。監督としての代表作に、映画「ラブ★コン」などがある。

（執筆：7、10、11章）

木滝りま

脚本家・作家。脚本家として、ドラマ「念力家族」「ほんとにあった怖い話」、アニメ「スイートプリキュア♪」など。代表作に、『世にも奇妙な物語 ドラマノベライズ 恐怖のはじまり編』がある。

（執筆：8章）

田中智章

監督・脚本家。脚本家として、アニメ「ドラえもん」、映画「シャニダールの花」などを担当。監督としての代表作に、映画「放課後ノート」「花になる」などがある。

（執筆：9章）

挿画

kotona

イラストレーター。児童書や書籍の挿絵のほか、キャラクターデザインなどで活躍中。

HP：marble-d.com

（マーブルデザインラボ）

ブックデザイン

アートディレクション

辻中浩一

＋

吉田帆波

村松亨修（ウフ）

※この本は、朝日小学生新聞（2022年8月～9月）が初出。

監修　金子丈夫（元筑波大学附属中学校副校長）、パンク町田（動物作家）、小野展嗣（12 章、動物学者）
編集デスク　福井洋平
校閲　朝日新聞総合サービス（宅美公美子、野口高峰）

本文図版、地図作成　倉本るみ
コラム図版　笠原ひろひと
写真　朝日新聞社、iStock、PIXTA、軽井沢サクラソウ会議（P21）、Iris 株式会社（P122）
キャラクター原案　木々
ブックデザイン / アートディレクション　辻中浩一 + 吉田帆波、村松亨修（ウフ）

おもな参考文献
『新編　新しい理科』3～6（東京書籍）／『週刊かがくる　改訂版』1～50 号（朝日新聞出版）／『週刊かがくるプラス　改訂版』1～50 号（朝日新聞出版）／『ナショナル　ジオグラフィック』（日経ナショナル ジオグラフィック）

科学探偵《かがくたんてい》 謎野真実《なぞのしんじつ》シリーズ

科学探偵《かがくたんてい》 vs.《ブイエス》 超《ちょう》・自然現象《しぜんげんしょう》（後編《こうへん》）

2023 年 2 月 28 日　第 1 刷発行
2023 年 4 月 20 日　第 2 刷発行

著　者　作：佐東みどり　石川北二　木滝りま　田中智章　絵：kotona
発行者　片桐圭子
発行所　朝日新聞出版
〒 104-8011
東京都中央区築地 5-3-2
編集　生活・文化編集部
電話　03-5541-8833（編集）
03-5540-7793（販売）

印刷所・製本所　大日本印刷株式会社
ISBN978-4-02-332232-5
定価はカバーに表示してあります

落丁・乱丁の場合は弊社業務部（03-5540-7800）へ
ご連絡ください。送料弊社負担にてお取り替えいたします。